¿Cómo se clasifican las palabras?

Colección Respuestas,
dirigida por Marta Lescano y Silvina Lombardo

Mabel Giammatteo
Hilda Albano

¿Cómo se clasifican las palabras?

LitTera
EDICIONES

COLECCIÓN RESPUESTAS

Albano, Hilda
  ¿Como se clasifican las palabras? / Hilda Albano y Mabel Giammateo -
1ª ed. - Buenos Aires: Littera Ediciones, 2006.
  92 p.; 23x16 cm. (Respuestas Naranja / Lombardo Silvina, Lescano Marta)

  ISBN 987-20170-8-5

  1. Lingüística. I. Giammateo, Mabel II. Título
  CDD 410

Diseño de tapa: *Luciano Tirabassi U.*

© Littera Ediciones, 2006
Julián Álvarez 845, Piso 6 (1414), Ciudad de Buenos Aires
(011) 4776-1496 - lomsil@ciudad.com.ar
Hecho el depósito que marca la Ley 11.723
Impreso en la Argentina

Esta primera edición de 2.000 ejemplares
fue impresa en Indugraf S.A.
Sánchez de Loria 2254, Buenos Aires,
República Argentina,
en mayo de 2006.

Índice

Introducción

¿Cuántas clases de palabras hay? ¿Qué criterios deben tenerse en cuenta para identificarlas y definirlas? ¿La clasificación puede basarse casi exclusivamente en nociones de tipo semántico, según el modelo de la gramática tradicional, o hay que atender, primordialmente, la función que cumplen las palabras en la oración, como planteaba el estructuralismo? ¿Qué importancia tienen los factores distribucionales, es decir, la ubicación que, dentro de la estructura sintáctica, pueden ocupar las diferentes clases de palabras? ¿Cómo inciden en la clasificación los aspectos morfológicos? Por último, y en una perspectiva más amplia, ¿existe un repertorio universal de clases de palabras, válido para todas las lenguas, o son particulares de cada una? Las anteriores son sólo algunas de las preguntas que a lo largo de siglos se han hecho los gramáticos respecto de las tradicionales "partes de la oración" y para las que en este libro trataremos de buscar posibles respuestas.

Aunque muchos lectores y también algunos gramáticos tradicionales no se hayan planteado esta cuestión, el hecho de que las palabras de una lengua se agrupen en clases, como sustantivos, adjetivos, verbos, etc., no es una mera clasificación desarrollada por la gramática. Experimentos científicos recientes, llevados adelante en el área de la psicolingüística, han confirmado que las palabras de una lengua no constituyen listas arbitrarias y sin relación entre sí. Por el contrario, en el lexicón o diccionario mental donde se almacenan, las palabras se agrupan en clases, cuyos miembros comparten características y tienen un comportamiento semejante (Aitchison, 1994, cap. 9). De modo que la gramática de una lengua tiene en cuenta las clases de palabras y este aspecto determina cuándo se aplica o no una operación gramatical. Así, por ejemplo, en el nivel morfológico, en cada lengua, las distintas terminaciones varían según las clases de palabras y cada sufijo se combina con algunas clases, pero no con otras. En español, la desinencia de género (masculino/femenino) se aplica a dos clases de palabras: sustantivos y adjetivos, pero no a verbos, mientras que la de tiempo (pasado/presente/futuro) se comporta inversamente. En el ámbito de la sintaxis, las funciones que las palabras pueden cumplir en la oración, si bien no son exclusivas, siempre están condicionadas por la clase a la que pertenecen. De este modo, por ejemplo, al verbo le cabe la función de núcleo del predicado, el adjetivo es el modificador por excelencia del sustantivo, mientras que el adverbio puede modificar tanto al verbo en el predicado como, según se verá más adelante, también puede tener un alcance más amplio, sobre toda la oración, e incluso incidir en la modalidad, es decir, en la actitud con que el hablante presenta su enunciado.

Lo dicho anteriormente tiene consecuencias importantes e implica, por un lado, que el concepto de clases de palabras pertenece a lo que Chomsky (1965: 4) denominó "competencia", que es el conocimiento de su lengua que el hablante tiene internalizado. Si bien se trata de un conocimiento subliminal y no consciente, del cual el hablante común no puede dar cuenta, es, sin embargo, el que le permite realizar las operaciones requeridas para generar las estructuras bien formadas de la lengua.

Partiendo de esa perspectiva, en este libro hemos adoptado un enfoque que considera que "todas las palabras en una lengua pertenecen a un restringido conjunto de categorías gramaticales" (Radford, 1997: § 2.1) y esto, en gran medida, determina su comportamiento. En consecuencia, consideramos que las palabras se agrupan en clases cuyos miembros comparten rasgos morfológicos –según ya vimos, la posibilidad de combinarse o no con determinados sufijos de derivación y flexión (género, número, tiempo, etc.)–, rasgos sintácticos –o sea, la capacidad de desempeñar las funciones oracionales propias de su clase– y rasgos semánticos –características generales de significación que les corresponden en tanto pertenecen a una clase en particular–.

Desde la perspectiva propuesta, la denominación tradicional de "partes de la oración" que, según Bosque (1991), fundamentalmente hacía referencia a las "unidades de la sintaxis" más que a las "partes de la oración" (ídem: § 2.1), resulta demasiado estrecha. Por lo tanto, hemos preferido *clases de palabras* que, al ser un término más abarcativo, permite incluir todas las características necesarias para la definición de estas unidades fundamentales de la lengua.

En el capítulo 1, luego de una breve revisión crítica de las principales clasificaciones que en distintas épocas han predominado, se plantea un enfoque integral, según el cual las palabras deben ser caracterizadas como subconjuntos organizados que comparten propiedades morfológicas, sintácticas y semánticas. La propuesta consiste en una clasificación binaria que distingue entre clases léxicas o de contenido descriptivo inherente –sustantivo, adjetivo, verbo, adverbio y preposición– y clases funcionales o de contenido gramatical –determinativos y conjunciones–.

El estudio de las clases léxicas abarca dos capítulos. En el capítulo 2 se tratan las clases léxicas que pertenecen a la categoría nominal, es decir, el sustantivo y el adjetivo.

En el capítulo 3 nos ocupamos de las restantes clases léxicas: el verbo, el adverbio y la preposición. Esta última fue considerada una clase atípica porque, si bien posee características importantes que hacen que se la incluya entre las clases léxicas, también comparte algunas propiedades de las clases funcionales.

Finalmente, en el capítulo 4 nos ocupamos de las clases funcionales: los determinativos y las conjunciones. Los primeros, que son los encargados de otorgar referencialidad a los nombres y a otras clases de palabras, comprenden dos subclases: determinantes y cuantificadores. Las conjunciones, cuya función básica es

conectar sintácticamente distintos elementos, incluyen los coordinantes y subordinantes.

Según creemos, el planteo propuesto no sólo ofrece una definición amplia, a la
vez que precisa, del concepto de clases de palabras, sino que también permite caracterizar las distintas clases del español y sus correspondientes subclases de un modo
integral y comprensivo. No obstante, la lectura del libro no requiere un lector con co-
nocimientos previos del tema, pues las distintas nociones y clasificaciones han sido
formuladas en forma sencilla y en un nivel adecuado tanto para estudiantes de cursos iniciales de gramática y lingüística como también para todos aquellos interesados
en acceder a un enfoque actualizado sobre estos temas.

Capítulo 1

Una clasificación integral de las palabras del español

1. Una cuestión problemática

Desde las primeras reflexiones sobre el lenguaje, filósofos y gramáticos se preocuparon por definir el concepto de clases de palabras y caracterizarlas.[1] Las clasificaciones propuestas se han basado alternativamente en distintos criterios –morfológicos, sintácticos y semánticos– tomados aisladamente o reunidos, a veces, de modo no demasiado sistemático. Los resultados han sido que las clases se han agrupado o dividido según el criterio empleado en cada caso y, en consecuencia, algunas palabras han saltado de una clase, o subclase, a otra. Un ejemplo muy evidente en este sentido es el del adjetivo, que por sus características morfológicas de género y número se agrupó con el sustantivo, con el que forma la tradicional clase de los nombres, pero, por su funcionamiento predicativo,[2] fue, en cambio, ubicado con el verbo. Asimismo, las clasificaciones basadas sólo en nociones semánticas tampoco han resultado completamente satisfactorias; por ejemplo, cuando se define el sustantivo exclusivamente como la "palabra referida a personas u objetos", quedan excluidas palabras como *producción* o *dulzura* que, aunque expresan cualidades, se comportan morfológica y sintácticamente como los sustantivos.

Además, también encontramos clasificaciones basadas esencialmente en criterios sintácticos como el de distribución, que tiene en cuenta los diversos contextos sintácticos en que puede aparecer una unidad. Los tests distribucionales, desarrolla-

---

1. Para la historia de la clasificación de las palabras en un nivel introductorio, véase Bosque (1991: §§ 2.1 y 2.2). Para una presentación más detallada se pueden consultar Robins (1974) o Lyons (1971). La *Gramática* de Alcina Franch y Blecua (1975) trae una "Introducción histórica y teórica" en la que trata el tema.

2. Es decir que funciona simultáneamente como modificador del verbo y de otro constituyente oracional, que puede ser el sujeto –*La casa es grande*– o el objeto directo –*Juan trajo sucia la camisa*–.

dos principalmente por los lingüistas estructuralistas norteamericanos en las décadas del cuarenta y cincuenta, apuntaban a distinguir las distintas clases de palabras por las posiciones sintácticas que podían ocupar. Así, después de *Juan puede ___*, son posibles verbos como *saber* o *venir*, pero no sustantivos como *puerta*, adjetivos como *alto* o preposiciones como *por*. Sin embargo, como sostiene Bosque (1991: § 2.3.3) "[los] entornos no definen ninguna unidad gramatical", ya que si consideramos *Juan canta ___*, no sólo cabe un adverbio como *alegremente*, sino también sustantivos como *ópera* o (los) *lunes*.

También desde una perspectiva sintáctica, las escuelas funcionalistas, especialmente las europeas,[3] han puesto el énfasis en la asociación de las distintas clases de palabras con *las funciones sintácticas* que desempeñan en la oración. Sin embargo, las palabras no sólo pueden ser sustituidas por otras palabras sino por equivalentes funcionales con estructuras diferentes. Por lo tanto, en una oración como (1a), en lugar del sustantivo *Juan*, podemos tener, como en (1b), *El que no lleva prisa*; en vez de *camina* es posible *suele caminar* (1c), y *tranquilamente* puede ser reemplazado por *con tranquilidad* (1d):

(1) a. Juan camina tranquilamente.
    b. *El que no lleva prisa* camina tranquilamente.
    c. Juan *suele caminar* tranquilamente.
    d. Juan camina *con tranquilidad*.

Según el criterio funcionalista que Bosque (1991) objeta, tan sustantivo sería *Juan* como *el que no lleva prisa*, y asimismo serían adverbios *tranquilamente* y *con tranquilidad*. Y más aún, en esta misma línea de razonamiento, para este autor: "El sintagma *los lunes* sería unas veces sustantivo (*detesto los lunes*) y otras adverbio (*descanso los lunes*)".

Aunque la relación entre clases de palabras y funciones sintácticas sea sumamente estrecha, lo cual ha llevado a denominar a aquéllas "partes de la oración", esto no autoriza a reducir las categorías a las funciones sintácticas que desempeñan.

De acuerdo con lo expuesto, podemos afirmar que ni los criterios morfológicos ni los sintácticos, distribucionales o funcionalistas tomados aisladamente son suficientes para caracterizar las distintas clases de palabras sino que, como aconseja Radford (1997: § 2.1): "Deberíamos usar criterios morfológicos en conjunción con criterios sintácticos", sin dejar de considerar, además, como advertía Langacker (1987:189), que "todos los miembros de una clase dada comparten propiedades semánticas fundamentales". En cambio, desde una perspectiva integral, todos estos criterios deben conjugarse.

> Las clases de palabras constituyen subconjuntos organizados que comparten propiedades morfológicas, sintácticas y semánticas.

---

3. A diferencia de los estructuralistas, que ponen el acento fundamentalmente en la lengua como sistema, los funcionalistas se centran en su valor comunicativo, es decir, en el uso.

2. Distintas clasificaciones de las palabras

La gramática tradicional estaba centrada en la palabra y buena parte de sus esfuerzos se dirigían a identificar y caracterizar sus diferentes clases y subclases. En líneas generales, las clasificaciones más representativas son de dos tipos:

1) Las *múltiples*, que establecen inventarios con varias clases de palabras.
2) Las *binarias*, que organizan las palabras en dos grupos principales, según alguna característica relevante. Por lo general, las clasificaciones binarias luego suelen subdividir las dos clases principales en subclases.

Antes de presentar la clasificación que proponemos, haremos una breve revisión crítica de algunas de las clasificaciones múltiples y binarias más representativas.

2.1. Clasificaciones múltiples y universalidad de las categorías

En la tradición occidental, la clasificación de las palabras partió del reconocimiento de dos clases básicas: el nombre –que incluía sustantivo y adjetivo– y el verbo. Algunos adjudican su identificación al sofista Protágoras de Abdera, quien en el siglo IV a.C., al distinguir el género en el nombre y el tiempo en el verbo, habría separado ambas clases y fundado el estudio formal del lenguaje. Un siglo después, Platón diferenció ambas clases por su función en el juicio lógico: el nombre se refería a la sustancia, categoría primera y fundamental, de la cual el verbo predicaba. Luego Aristóteles dio un paso más y distinguió una tercera clase de palabra, que englobaba a todas las partículas de enlace –o "palabras engranaje", como las denominará siglos más tarde Bosque (1991: § 2.2)–, como preposiciones y conjunciones.

Con ligeras variantes, las clasificaciones posteriores proceden de la de Aristarco, hecha en el siglo II y transmitida por los gramáticos alejandrinos (siglos IV a.C.-II d.C), y oscilan entre ocho y diez clases. En la famosa gramática de Dionisio el Tracio (siglo II a.C), por ejemplo, figura una lista con ocho clases: nombre, verbo, participio, preposición, conjunción, artículo, adverbio y pronombre. Posteriormente, para mantener el número, los gramáticos latinos incorporaron la interjección, ya que el latín no tiene artículo. En cuanto al español, la primera clasificación es la que figura en la *Gramática* de Antonio de Nebrija e incluye diez clases: nombre, pronombre, artículo, verbo, participio, gerundio, nombre participial infinito (se refiere al participio invariable de los tiempos compuestos con *haber*), preposición, adverbio (que incluye la interjección) y conjunción.

Aunque al principio se pensó que las clases identificadas para las lenguas clásicas eran universales, con el correr del tiempo y con el conocimiento de lenguas de muy diversos orígenes se ha ido reconociendo que no en todas existen las mismas clases de palabras. Asimismo, tampoco las categorías morfológicas (variaciones de terminación de las palabras que manifiestan género y número, en el sustantivo y el adjetivo; tiempo, modo, aspecto, número y persona, en el verbo, y caso, en los pronombres personales), que se usaban para distinguir cada clase, parecen manifestarse universalmente de la misma manera. Así, por ejemplo, mientras en las lenguas romances los nombres sólo pueden expresar género y número –gato / gata; gatos / gatas–, en las lenguas clásicas, como el griego y el latín, los nombres también expresan caso, es decir que varían su desinencia o terminación para indicar la función sintáctica que desempeñan. Por ejemplo, en el latín *Rosa est pulchra* (= *La rosa es bella*), *rosa* se encuentra en caso nominativo porque cumple la función de sujeto; mientras que en *Video rosam* (= *Veo una rosa*) la forma *rosam* está en caso acusativo porque es objeto directo (OD). Otras lenguas, en cambio, tienen menos variantes: en inglés, por ejemplo, los sustantivos no tienen género y, en japonés, ni género ni número. En esta última lengua, además, una de las categorías morfológicas más tradicionalmente unida al verbo, el tiempo, puede también manifestarse en algunas clases de adjetivos. En ruso, en cambio, el verbo, además de sus categorías propias, también manifiesta género.

En la actualidad se reconoce que las clases de palabras no son universales sino que varían según las lenguas, aunque en todas posiblemente existan dos categorías básicas sobre las que se articula la oración, más o menos semejantes a nombre y verbo. Tampoco encontramos, en las diferentes lenguas del mundo, asociaciones constantes y uniformes entre clases de palabras y categorías morfológicas, por lo tanto, estas correlaciones deben ser planteadas para cada lengua en particular.

2.2. Clasificaciones binarias

Junto con clasificaciones múltiples, como las que acabamos de presentar, se encuentran las binarias. Entre las más antiguas que se conocen figura la del gramático latino Varrón de Reata (siglo I a.C), que se considera la primera estrictamente morfológica, ya que divide las palabras en *variables e invariables,* según tengan o no cambios en su terminación. Entre las palabras invariables, Varrón incluye todas las que Aristóteles había denominado partículas, que comprenden preposiciones, conjunciones, adverbios invariables e interjecciones.

Dentro de las variables, según cambien en caso y tiempo, Varrón distinguía:

Palabras variables	Caso	Tiempo
Nombre	+	–
Verbo	–	+
Participio	+	+
Adverbios variables (con flexión de grado)	–	–

Como muestra el cuadro, las dos características mencionadas –caso y tiempo– permiten discriminar cuatro clases de palabras en latín: en primer lugar, el nombre es la palabra que manifiesta caso; luego el verbo, que expresa tiempo; en tercer lugar, el participio, que como su nombre lo indica participa de ambas naturalezas, nominal y verbal, ya que manifiesta caso y también tiempo; por último, la cuarta clase está formada por los adverbios que varían en grado. Aunque interesante e innovadora, la clasificación de Varrón no resulta del todo consistente, ya que deja una misma clase, la de los adverbios, en dos grupos distintos –palabras variables e invariables– según tengan, o no, flexión de grado.

Veinte siglos más tarde, otra clasificación binaria, basada en rasgos, será la adoptada por la gramática generativa propuesta por Chomsky. Los rasgos utilizados son dos: nombre [N] y verbo [V], o más exactamente (lo) *nominal* y (lo) *verbal*, ya que ambas denominaciones no se refieren a las clases de palabras en cuestión sino al conjunto de propiedades gramaticales que las caracterizan. Según este enfoque, las cuatro clases tomadas como básicas –sustantivo, adjetivo, verbo y preposición– pueden analizarse sobre la base de esos dos rasgos:

Clases	[N]	[V]
Sustantivo	+	−
Verbo	−	+
Adjetivo	+	+
Preposición	−	−

Una clasificación como la anterior permite ver las correlaciones entre las clases y explicar sus características comunes de comportamiento en función de los rasgos compartidos. El adjetivo, por ejemplo, se caracteriza como [+N, +V], porque tiene rasgos del sustantivo –flexión de género y número, en español y, en otras lenguas, caso– y del verbo –la posibilidad de funcionar predicativamente: Juan *bebe* / es *bebedor*–.

Además de las anteriores, otras clasificaciones binarias han distinguido entre:

- *clases cerradas* (con miembros finitos) y *clases abiertas* (con miembros potencialmente infinitos);
- *palabras llenas* (de contenido léxico) y *palabras vacías* (con contenido gramatical);
- *clases mayores* (que pueden recibir modificadores) y *clases menores* (que no admiten modificación).[4]

3. Una propuesta integral de clasificación

En este libro nos centraremos en las siete clases de palabras básicas para el español: sustantivo, adjetivo, verbo, adverbio, preposición, determinativo y conjunción (Bosque: 1991)[5] y para su clasificación proponemos un enfoque integral, que se ba-

4. Para una presentación más detallada de este punto, remitimos a Bosque (1991: § 2.2).

5. Aquí nos centraremos en aquellas categorías que equivalen a palabras de la lengua y dejaremos de lado, dentro de las funcionales, los morfemas flexivos, que por sí mismos no forman palabras.

sa tanto en criterios morfológicos como sintácticos y semánticos. La clasificación propuesta parte de una distinción que se relaciona con la de palabras llenas y vacías, y distingue entre:

- *clases de palabras léxicas*, que poseen contenido descriptivo inherente, y
- *clases de palabras funcionales*, cuyo significado está íntimamente relacionado con la función gramatical que cumplen.

Las palabras funcionales poseen un significado de tipo relacional, ya que transmiten información sobre las propiedades de otras palabras –como género, número, persona, etc.– o establecen conexiones sintácticas entre ellas. Por su parte, las que incluimos en las clases de palabras léxicas –*sustantivos, verbos, adjetivos, adverbios y preposiciones*– equivalen a las denominadas "clases mayores"; mientras que como clases de palabras funcionales hemos considerado, para el español, los *determinativos* y las *conjunciones*, tanto coordinantes como subordinantes que, tradicionalmente, han sido ubicados entre las clases menores. Respecto de la preposición, que posee las propiedades básicas de las clases léxicas pero también comparte características con las funcionales, su inclusión entre las primeras ha originado polémicas y la respuesta que se dé a esta cuestión, en gran medida, depende de la postura que se adopte, como veremos con más detalle al tratar esta clase de palabra.

El siguiente cuadro sintetiza la clasificación propuesta:

CLASES LÉXICAS	Sustantivo Adjetivo Verbo Adverbio Preposición
CLASES FUNCIONALES	Determinativos Conjunciones

3.1. Aspectos didácticos generales

Según ya dijimos, las clases de palabras no son una invención de los gramáticos sino que responden a una profunda realidad mental que nos permite utilizar las palabras y construir con ellas secuencias bien formadas en la lengua.

Ahora bien, ¿qué interés práctico presenta el estudio de este tema? Si queremos conocer una lengua determinada, tanto desde el punto de vista teórico como de su funcionamiento, no podemos desconocer las clases de palabras en las que este último está basado. Esto nos permitirá reconocer que en español, por ejemplo, una cadena como *de madera*, en la que un sustantivo sigue a la preposición, es correcta, mientras que **de podían*,[6] con un verbo conjugado en ese mismo contexto, es agra-

---

6. Con el asterisco se indica que el ejemplo es agramatical.

matical. También podremos explicar por qué palabras como *chatear* o *resetear,* aunque provienen de una base extranjera –respectivamente *chat* y *reset,* del inglés– están correctamente formadas en español, ya que agregan a un nombre la terminación -*ear,* que permite formar derivados verbales, mientras que otras palabras como **golondrinamente* o **perroste* presentan problemas. La primera porque a partir de un sustantivo como *golondrina* no se puede derivar un adverbio, ya que éstos se forman sobre adjetivos –*rápido > rápidamente; breve > brevemente*–; y la segunda, porque la terminación -*ste* corresponde a verbos –*entender > entendi-ste*– y no a nombres. Pero también podemos dar una vuelta más y entender que una palabra como *golondrinamente,* aunque anómala, podría ser utilizada, por ejemplo, en poesía, donde la intención estética del poeta puede crear, deliberadamente, más allá de las reglas. Sin embargo, no debe ser entendida como una palabra empleada en el léxico general, que es el que escuchamos en la calle, en el supermercado, en los cafés, etcétera.

En suma, el conocimiento sobre clases de palabras es el que hace posible saber qué terminaciones se pueden ir agregando, en primer lugar, para formar otras palabras y, en segundo lugar, para combinarlas entre sí adecuadamente respetando las relaciones sintácticas indispensables entre ellas.

Ahora bien, el enfoque que presentamos hace posible reconocer que las distintas clases de palabras no son homogéneas. Todos los miembros de una clase comparten propiedades morfológicas, sintácticas y semánticas, por lo tanto la pertenencia a una clase no necesariamente implica poseer todas las características sin excepción.

Esta distinción es la que nos permite considerar diferencias de comportamiento entre palabras que se incluyen en una misma clase. Así, por ejemplo, aunque desde el punto de vista morfológico los sustantivos se caracterizan por manifestar número, hay, sin embargo, algunos como *caos* y *cenit,* que no flexionan para esa categoría, sin dejar por eso de pertenecer a la clase; y lo mismo sucede con verbos defectivos como *llover* y *abolir.*[7] Como veremos con más detalle, mientras algunos determinativos sólo pueden ir delante del núcleo al que especifican –*el libro / *libro el*–, otros tienen mayor libertad de combinación, por lo que pueden anteponerse o posponerse –*aquel libro / (el) libro aquel*–.

Por último, desde el punto de vista semántico, pueden servir como ejemplo los sustantivos abstractos, como los ya citados *producción* o *dulzura,* que tienen las propiedades morfosintácticas de los sustantivos pero que no se corresponden con el significado prototípico[8] de la clase en el mismo sentido que *pelota, libro* o *estudiante,* que hacen referencia a entidades delimitadas, concretas, contables y que ocupan un lugar en el espacio (Taylor, 1995: § 10.3). Del mismo modo, aunque los verbos típicamente se refieren a sucesos o eventos, que son entidades que sufren cambios y no

---

7. Los verbos defectivos no presentan completo el paradigma de la conjugación porque se usan sólo en ciertos tiempos y personas.

8. Entendemos prototipo como "el ejemplar más idóneo e incluso el mejor caso, el mejor representante o caso central de una categoría" (Kleiber, 1995: 47).

tienen estabilidad temporal (Givón, 1979: 14), como *correr, comer* o *morir*, no obstante, formas como *permanecer* y *durar,* que manifiestan las características flexionales y de funcionamiento oracional de la clase pero que describen 'estados', es decir, eventos homogéneos en su duración y que no sufren cambios, igualmente se incluyen con los verbos.

Las clases de palabras se forman a partir de conjuntos de propiedades compartidas por sus miembros, pero la adscripción a una clase es una cuestión de grado.

En cada clase se reconocen:

- *miembros centrales o prototípicos*, que reúnen todas o la mayoría de las propiedades;
- *miembros periféricos o aun marginales* (a los que la gramática tradicional catalogaba como excepciones) que, sin dejar de pertenecer a la clase, no poseen todos sus atributos.

Capítulo 2
Clases de palabras léxicas: sustantivo y adjetivo

Según se dijo en el capítulo anterior, las clases de palabras léxicas son las que poseen contenido descriptivo inherente y comprenden cinco clases: sustantivo, adjetivo, verbo, adverbio y preposición. En este capítulo vamos a ocuparnos de las primeras dos y en el próximo, de las tres restantes. Esta división se ha basado en que las del primer grupo pertenecen a la categoría nominal, es decir que poseen el rasgo [+N], mientras que las que se incluyen en el segundo grupo no lo poseen.

No obstante, antes de introducirnos en el estudio particular de las dos clases de que se ocupa este capítulo, haremos una presentación general respecto de las clases léxicas.

1. ¿Qué son las palabras léxicas?

Palabras como *casa, comer, grande, lentamente,* e incluso *hacia,* que tiene sentido locativo, se consideran léxicas porque su contenido puede asociarse con ideas o conceptos (Rodríguez Ramalle, 2005: 52) y describirse mediante rasgos semánticos, como 'vivienda', 'ingerir alimentos', 'de tamaño amplio', 'de modo pausado', 'en dirección a'. Sin embargo, así como dijimos que dentro de cada clase algunos miembros pueden no presentar todas las propiedades, tampoco todas las clases de palabras léxicas presentan absolutamente las mismas características sino que participan de ellas en distintos grados y formas. Las ejemplificadas más arriba son las cinco clases de palabras léxicas del español:

$$\begin{array}{rcl}
\textbf{S} & = & \text{sustantivo} \\
\textbf{A} & = & \text{adjetivo} \\
\textbf{V} & = & \text{verbo} \\
\textbf{Adv} & = & \text{adverbio} \\
\textbf{P} & = & \text{preposición}
\end{array}$$

[23]

¿Qué debemos tener en cuenta para su caracterización? Las palabras léxicas presentan dos particularidades principales:

1) poseen contenido *semántico inherente*, es decir, significado propio;
2) *funcionan como núcleos*, es decir que determinan la naturaleza categorial del sintagma que constituyen (Bosque, 1991: § 3.2).

Así, los sintagmas cuyo núcleo es un sustantivo son sintagmas nominales[1] (SN) y, correlativamente, se forman sintagmas adjetivales (SA), verbales (SV), adverbiales y preposicionales (SP):

SN: *la* [$_N$ *casa*] *grande*
SV: [$_V$ *come*] *mucho*
SA: *bastante* [$_A$ *grande*]
SAdv.:   *muy* [$_{Adv}$ *lentamente*]
SP: [$_P$ *hacia*] *el río*

Ya que en cada sintagma el núcleo puede reemplazar a toda la secuencia (excepto cuando el núcleo es preposicional, lo cual, según veremos, es uno de los aspectos que hacen que la preposición sea una clase de palabra atípica dentro de las léxicas) y, a su vez, el sintagma se considera una expansión del núcleo, "se deduce que las categorías léxicas son los constituyentes más simples o unidades mínimas de análisis sintáctico" (Rodríguez Ramalle, 2005: 41).

Desde el punto de vista morfológico, se reconocen dos grupos de palabras léxicas:

1) *flexionales*: sustantivos, verbos y adjetivos;
2) *no flexionales*: adverbio y preposición.

Todas las clases de palabras léxicas presentan conexiones sintácticas: el sustantivo, el adjetivo y el verbo manifiestan concordancia; el verbo y la preposición rigen el caso de sus complementos, y algunos adverbios exigen un modo determinado en el verbo.

En este capítulo trataremos en particular del sustantivo, el adjetivo y el adverbio, siguiendo el criterio planteado de considerar sus propiedades morfológicas, sintácticas y semánticas.

2. El sustantivo

En la clasificación aristotélica, el sustantivo es la denominación que se adjudica a la sustancia o categoría primera, de la cual se predica en el juicio lógico.

---

1. A pesar de que sería más preciso hablar de sintagma sustantivo –SS– retenemos la denominación usual de SN para referirnos a los conformados por núcleos sustantivos.

> El *sustantivo* es una palabra esencial en la lengua que se utiliza para poner nombre o denominar a las entidades del mundo circundante.

Con el concepto de entidad hacemos referencia no sólo a seres y objetos físicos, como *árbol, hombre, perro, libro* o *computadora,* sino también a objetos psíquicos o cualidades, como *angustia, soledad, belleza* o *sabiduría,* e incluso al resultado de eventos, como *derroche, canto,* o *sacrificio;* a todos estos el sustantivo los presenta como si tuvieran existencia independiente. Por eso, todos los sustantivos (excepto los nombres propios, como *Facundo, Francia* o *González*) aceptan ir precedidos por un artículo definido (el / la / los / las) que precisa su referencia.

2.1. Caracterización morfológica. La flexión nominal

La *flexión nominal* cuenta con dos categorías: *género y número.* El género se considera inherente o propio del sustantivo, ya que la mayoría de los sustantivos no tienen marca de género y éste se reconoce por la concordancia con el determinante que le precede: *el árbol / la mesa.* El número, en cambio, es una categoría de concordancia que sólo presenta marca en plural: *el gato / los gatos.*

2.1.1. Género

En español, el género sirve para clasificar los sustantivos en dos clases:

* *femenino*
* *masculino*

En la mayoría de los casos el género es inherente, es decir, propio de cada sustantivo, y no se relaciona con categorías extralingüísticas, como la oposición biológica entre machos y hembras, sino que, directamente, cada sustantivo pertenece a una de las dos clases de la lengua. Por ejemplo, *puerta, casa* y *dulzura,* que se utilizan con el artículo femenino *la,* pertenecen a este género; mientras que *libro, sueño* y *río,* que se combinan con el artículo *el,* son masculinos. No obstante, en algunos pocos sustantivos, referidos a seres sexuados, la variación genérica está motivada en la oposición biológica –*perro / perra; hombre / mujer–.*

El género también sirve para señalar otras oposiciones, como árbol / fruto –*ciruelo / ciruela;* manzano / manzana–; o diferencia de tamaño –*jarro / jarra;* cuchillo / cuchilla; bolso / bolsa–.

En las palabras de género motivado se reconocen distintos procedimientos para señalar la variación. En algunas, como *jovencit-a* y *guerrer-o,* la vocal final señala si la palabra es femenina o masculina; en otras, la variación genérica se señala cambiando la palabra –*caballo / yegua –;* por último, algunas palabras señalan el género mediante el determinante –*el joven / la joven–.*

2.1.2. NÚMERO

> El número sirve para indicar si se designa un solo objeto –*piano, ventana, árbol*– o más de uno –*pianos, ventanas, árboles*–.

Según se observa, sólo el plural tiene marca –*piano-s, ventana-s*–, la cual constituye una modificación en la desinencia (sufijo), que consiste en el agregado de *-s* o *-es*.

En español hay palabras que no necesitan agregar ningún sufijo para formar el plural, pues la misma forma se emplea tanto para singular como para plural. Se trata de palabras graves o esdrújulas que terminan en un sonido sibilante (silbante) por lo que rechazan el agregado de *-s* y en las que la diferencia de número se indica mediante el determinante –*el lunes / los lunes; el tórax / los tórax; el análisis / los análisis*–. Por su parte, algunos nombres, como *nupcias, comillas y víveres*, tienen sólo forma plural, y otros, como los mencionados *caos y cenit*, no lo admiten.[2]

2.2. Caracterización sintáctica

> El sustantivo es el núcleo del SN y como tal rige la concordancia en género y número con el determinante y con el adjetivo.

Aunque para la gramática estructural, que consideraba el determinante una subclase del adjetivo, no había diferencia entre ambos modificadores, para la gramática generativa no son lo mismo. Según esta teoría, además del núcleo, todos los sintagmas pueden llevar dos tipos de constituyentes opcionales: complementos y especificadores. Ambos se relacionan de manera diferente con el núcleo, ya que los primeros son seleccionados semánticamente por aquél y los segundos, no. En un SN como *el libro interesante,* el núcleo *libro* forma con *interesante,* que es su complemento, una unidad más estrechamente relacionada, por lo que podemos decir, *libro interesante,* pero no **libro fresco o cariñoso.* El determinante, en cambio, que no guarda ninguna dependencia semántica con *libro,* es un modificador más externo.

En el SN tenemos dos niveles:

1) el *núcleo* y su *complemento*, que forman una unidad estrechamente relacionada;
2) el *especificador*, que se refiere al conjunto formado por el núcleo y su complemento.

---

2. Para una presentación detallada de este tema, véase Alcina Franch y Blecua (1975: § 3.2).

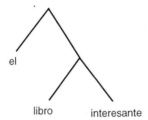

Dentro de la oración, el SN puede desempeñar distintas funciones. En (1), por ejemplo, el sustantivo *cambio* es núcleo del OD y en (2), del sujeto:

(1) La mayoría de los ciudadanos espera un *cambio*.
(2) El *cambio* llegará después de las elecciones.

Además de las dos funciones anteriores, el sustantivo puede desempeñar otras entre las que se encuentran las de *complemento o término de preposición* (3), *predicativo* (4) y *complemento explicativo apositivo* de otro sustantivo (5):

(3) La elección del *presidente* iniciará un nuevo período constitucional en el país.
(4) El candidato elegido será el nuevo *presidente* de los argentinos.
(5) Algunos candidatos, *políticos* de renombre, verán defraudadas sus esperanzas.

2.3. Caracterización semántica

Para Baker (2003: 101) la característica esencial del sustantivo es su carácter referencial. En virtud de esta propiedad, los sustantivos tienen un "criterio de aplicación", es decir que "saber lo que *perro* significa nos ayuda a saber qué cosas son perros".

> Desde la perspectiva semántica, los sustantivos categorizan, es decir, indican clases de objetos, a diferencia de los adjetivos, que básicamente describen propiedades.

Libro, por ejemplo, indica un objeto de la clase X, siendo X la clase de los libros que tiene tales y cuales características, y se distingue de otras como Y (= revistas) y Z (= discos).

Además, a diferencia de los verbos, que básicamente señalan "cambio", los sustantivos prototípicos hacen referencia a entidades discretas, es decir, segmentables, concretas, temporalmente estables y localizadas en un espacio tridimensional.

Sin embargo, no todos los miembros de la clase responden a la caracterización anterior: los que se adecuan a ella constituyen una *clase focal o central*, que se identifica con el prototipo de la categoría, representado por los *sustantivos co-*

munes, concretos, contables e individuales. En oposición a los sustantivos comunes se encuentran los propios y, dentro de los comunes, también se reconocen otras subclases:

- sustantivos comunes ≠ sustantivos propios;
- sustantivos concretos ≠ sustantivos abstractos;
- sustantivos contables o discretos ≠ sustantivos incontables o de masa;
- sustantivos individuales ≠ sustantivos colectivos.

2.3.1. SUBCLASES

Los sustantivos no son todos iguales: algunos no aceptan el artículo –*Pedro*, pero no **el Pedro*–; otros, según vimos, van siempre en plural –*nupcias, comillas*– y otros sólo se refieren a grupos –*enjambre, rebaño*–. Estas y otras particularidades que iremos viendo hacen que los sustantivos integren distintas subclases léxicas. Conocerlas es de suma importancia porque dado que el sustantivo es el núcleo del SN, la subclase a la que pertenece determina la mayoría de las características de esta construcción, especialmente la posibilidad de admitir o no determinados modificadores y de seleccionar complementos.

2.3.1.1. Sustantivos comunes y propios

> Los *sustantivos comunes* –*silla, cuaderno o ventana*– hacen referencia a individuos en tanto miembros de una clase. Los *sustantivos propios*, sea de persona –*Paula*–, de país –*Italia*–, de ciudad –*Córdoba*–, de río–*Paraná*–, de montaña –*Aconcagua*–, etc., nombran o designan en forma particular una entidad, pero sin dar sus características específicas.

En virtud de estas diferencias, podemos entender el funcionamiento sintáctico de una y otra clase. El nombre común es por naturaleza un predicado que incluye un individuo en una clase –*Juan es doctor*–. Para convertirse en una expresión referencial, es decir, para ser usado con referencia a alguna entidad determinada de la realidad extralingüística –*Juan es el doctor*– debe construirse con un determinante que lo actualice y delimite:

(6) **Chico* salió a la calle.
(7) **Compró pelota* para jugar con sus amigos.
(8) **Trajo un regalo para maestra.*

Según muestran los ejemplos anteriores, en las posiciones de sujeto, objeto y término, el sustantivo común en singular debe ir precedido por un determinante, que puede ser un artículo, un demostrativo o un posesivo:

(9) El / este / mi cuaderno está sobre la mesa.

En plural (10) o en la posición de sujeto pospuesto (11), en cambio, el sustantivo admite ser utilizado sin determinante:

(10) *Amigos* de España lo saludaron.
(11) Llegó *carta* de España.

Se exceptúan también los casos en que el sustantivo común se integra con el verbo –*tomar nota* (= anotar), *sacar punta* (= afilar)– o con el nombre –*regalo de cumpleaños, pastel de boda*– o cuando tiene valor genérico o de clase: *baila tango; anda en moto*. También, según veremos, pueden construirse sin determinante los nombres de sustancia, tanto material –*compró pan*– como inmaterial –*parto sin dolor*–.

El sustantivo propio tiene la referencia incluida, por eso se usa sin determinante y, como ya vimos, en español no decimos *el Juan* o *la María.*[3]

Asimismo, dado que el sustantivo propio es capaz de identificar a su referente por sí mismo no sólo puede usarse sin determinante sino también sin ningún complemento. En consecuencia, no admiten complementos de tipo restrictivo –**Juan que tiene veinte años*–, aunque sí aceptan los de tipo explicativo –*Juan, que tiene veinte años*–. Cuando los nombres propios se usan con modificadores restrictivos se produce una recategorización, es decir que pasan a funcionar como si fueran comunes: *El Buenos Aires colonial / del virreinato*. Por último, dado que designan entidades individuales, por lo general se usan en singular. En plural, adquieren un comportamiento de clase, semejante al de los nombres comunes: *los García, los Quijotes que en el mundo andan deshaciendo entuertos*, etc. Entre los nombres propios geográficos, hay algunos que están fijados en plural, por ejemplo: *Buenos Aires, Estados Unidos*. El plural es frecuente con nombres de cordilleras y macizos montañosos –*los Alpes, los Pirineos*–, o para nombrar archipiélagos –*Baleares, Canarias, Bahamas*–. En algunos nombres de países o ciudades –*El Bolsón, El Maitén, La Haya*– aparece el artículo porque es parte del nombre, aunque en algunas casos, como *Argentina* y *la Argentina*, puede haber alternancia.

Las que se presentan a continuación son *subclases del sustantivo común*, tradicionalmente identificadas en términos semánticos. Siguiendo a Bosque (1999) trataremos de determinar la pertinencia de estas clases, mostrando su incidencia en el funcionamiento de la gramática.

---

3. En el lenguaje subestándar, en que se suelen escuchar expresiones como *la Mary* o *el Juancho*, según Di Tullio (2005: 148-149, nota 2), el determinante "indica que el hablante supone que la persona designada es conocida por los interlocutores". En español general, también se usa el determinante antepuesto a nombres de personas famosas o muy conocidas: *la Callas, la Legrand*.

2.3.1.2. Sustantivos contables e incontables

> Los *sustantivos contables o discontinuos* se refieren a objetos discretos y aislables, que no pueden dividirse sin dejar de ser lo que son –*mesa, libro, coche*–. Los *sustantivos incontables o continuos* tienen una constitución homogénea, por lo que pueden dividirse sin perder su naturaleza –*agua, café, arena*–.

Dentro de los no contables, también denominados nombres de materia o de masa, pueden distinguirse los que se refieren a:

a)	sustancias informes o extendidas –*aire, humo, sangre*–;
b)	materias primas –*leche, lana, oro*–;
c)	conglomerados de granos –*arena, trigo*–.

Al igual que propios y comunes, también el comportamiento sintáctico de estas dos subclases difiere: mientras los contables son sustantivos comunes típicos que en singular no pueden construirse sin un determinante o cuantificador (12), los no contables aceptan esta construcción tanto en la posición predicativa (13) como en la de sujeto posverbal (14), como en la de objeto (15) o término (16):

> (12) *Éste es *libro*.
> (13) Esto es *leche*.
> (14) *Falta agua / café*.
> (15) Fueron a buscar *oro / leche*.
> (16) Aquella mesa es de *madera*.

Sólo los contables se pluralizan –*mesas, libros, coches*–, lo que permite, además, que sean utilizados con cuantificadores de cualquier tipo, tanto numerales –*tres mesas*– como indefinidos –*algunos / muchos / varios libros*–. Los incontables, en cambio, no suelen pluralizarse y sólo aceptan cuantificadores indefinidos en singular[4] –*mucho café / bastante aceite*–. Cuando se emplean en plural, se consideran recategorizados como sustantivos contables referidos a tipo o clase (17) o con valor de medida (18):

> (17) Compré dos aceites: de oliva y de soja.
> (18) Me tomé tres cafés seguidos (= tres tazas de café).

Los sustantivos incontables también pueden usarse con los denominados *nombres acotadores*, que indican medida: *una taza de café, media cuchara de aceite, dos litros de leche, un vaso de cerveza*, etc.

---

4. En inglés, está diferencia se indica mediante lexemas diferentes: *many* (muchos) y *(a) few* ([unos] pocos) para los nombres contables –*many books* (muchos libros); *(a) few shoes* ([unos] pocos zapatos)– y *much* (mucho) y *(a) little* ([un] poco) para los incontables –*much flour* (mucha harina), *(a) little gold* ([un] poco [de] oro)–.

2.3.1.3. Sustantivos individuales y colectivos

> Los *sustantivos individuales*, en singular, se refieren a un solo objeto y, si mencionan más de uno, deben pluralizarse –*tres libros, muchos faroles, algunos ajíes*–. Los *sustantivos colectivos*, en forma singular, designan varias entidades –*enjambre, rebaño, docena*– .

Esta característica semántica incide en la gramática porque afecta a la concordancia. Así mientras un sustantivo plural como *pájaros* exige *Los pájaros recorren el cielo*, el colectivo *bandada* se construye con el verbo en singular: *La bandada recorre el cielo*. Sin embargo, en este tipo de sustantivos hay una tensión entre el aspecto semántico, que remite a una referencia plural, y el sintáctico. Por eso, cuando van especificados por un complemento plural, como en *una bandada de gaviotas*, se admite tanto *Una bandada de gaviotas recorre el cielo*, con una concordancia estricta con el núcleo *bandada*, como también es aceptable *Una bandada de gaviotas recorren el cielo*, donde hay una concordancia anómala, que se establece entre el núcleo verbal y el complemento en vez de con el núcleo del sujeto.

Desde el punto de vista de su formación, algunos colectivos adoptan desinencias específicas: *-ada* (*man-ada*), *-ario* (*vecind-ario*), *-eda* (*arbo-leda*), *-al* (*roble-dal*), *-ado* (*profesor-ado*), *-teca* (*pinaco-teca*), *-aje* (*ram-aje*), etc. Pero también hay colectivos no derivados como *ejército, tribu* y *familia*.

Dentro de los *colectivos se distinguen dos grupos:*

1) *determinados, que* se refieren a conjuntos definidos de cosas: *enjambre* (conjunto de abejas), *rebaño* (de ovejas), *pinacoteca* (de cuadros);
2) *indeterminados, que* indican conjuntos de individuos sin especificar: *docena* (conjunto de doce elementos), *grupo* (conjunto de cosas o personas), etc.

2.3.1.4. Sustantivos concretos y abstractos

La mayor parte de los sustantivos de la lengua se refieren a entidades concretas, como *libro, chico* o *mascota*. A estas entidades podemos adjudicarles propiedades características como *difícil, travieso* o *simpática*. Así, podemos hablar de un *libro difícil*, de un *chico travieso* o de una *mascota simpática*. Pero también podemos pensar las propiedades independientemente de los objetos. Hablaremos así de *dificultad, travesura* o *simpatía*. Así concebidas, las propiedades pueden emplearse con artículo e integran la subclase de los sustantivos abstractos.

> Los *sustantivos concretos* designan entidades que tienen existencia propia. Los *sustantivos abstractos* se refieren a cualidades o acciones de los objetos o personas como si fueran independientes.

Los abstractos que designan cualidades son deadjetivales, es decir que derivan de adjetivos y se forman mediante desinencias (sufijos) especiales, como *-dad (bon-dad),*

-*ura (dulzura)*, -*ez / eza (vejez; tristeza)*, -*ía (alegría)*. Otro grupo de abstractos, los que indican acciones, tiene origen deverbal, es decir, que provienen de verbos, por ejemplo, *vuelo* (de *volar*), *caza* (de *cazar*), *lectura* (de *leer*) y también se forman mediante el empleo de sufijos característicos, como -*ción (produc-ción)*, -*ada / -ida (entr-ada, sal-ida)*, -*miento / -mento (envejeci-miento / comple-mento)* y algunos de los que se usan con adjetivos, como -*dad (continui-dad)*, -*ura (rot-ura)*, -*aje (aprendiz-aje)*. También hay abstractos simples, como *fe, miedo* o *verdad*, que no derivan de otra palabra de la lengua.

Para Bosque (1999), el comportamiento de los abstractos se asemeja al de los incontables, como si se tratara de sustancias inmateriales. En efecto, los abstractos pueden emplearse sin determinante en las mismas posiciones sintácticas que los incontables:

(19) Esto es *dolor / alegría*.
(20) Hay mucha *hambre* en el mundo.
(21) Se despidió con *dolor / pena / cariño / rencor*

Los abstractos (22a) y (23a) pueden recategorizarse como concretos (22b) y (23b). Aunque su semejanza con los incontables los hace renuentes a la pluralización –**fes, *hambres*–, cuando están recategorizados como concretos la aceptan más fácilmente (23b):

(22) a. La *llegada* del embajador al país fue un gran acontecimiento (El hecho de que el embajador arribe al país).
     b. Está a metros de la *llegada* (= la meta de la competencia).
(23) a. Sufrió un gran *dolor* con la muerte de su padre.
     b. Los *dolores* de espalda son inaguantables / Su hijo le da muchos *dolores* de cabeza (= le trae problemas).

3. El adjetivo

> Los *adjetivos* son las palabras que permiten caracterizar todo lo que nombran los sustantivos: personas –*hombre alto*–, objetos físicos –*árbol alto*–, objetos psíquicos –*idea brillante*–, sentimientos –*alegría inmensa*–, lugares –*ciudad antigua*–, etc.

Según Demonte (1991), el adjetivo es "la palabra inteligente por antonomasia, la más típicamente culta", ya que es la que otorga al discurso precisión y permite establecer matices y diferencias.

Como ya se ha dicho, muchos gramáticos han considerado el sustantivo y el adjetivo en una sola categoría más amplia, la del nombre, basados en que hay zonas de contacto entre ambas clases.

Muchos adjetivos se utilizan como sustantivos con facilidad y sin necesidad de cambiar su forma. Constituye un proceso bastante frecuente

en la lengua que los adjetivos, por ejemplo, *amigo*, que pueden designar a una clase o grupo, pasen a usarse como sustantivos. Incluso el adjetivo puede desplazar al sustantivo, como ha sucedido con *la (estación) terminal* o más recientemente con *el (teléfono) celular*.

A veces estos adjetivos que se utilizan como sustantivos, dice Bosque (1991), denotan valoraciones o cualidades de tipo negativo o marcan defectos. Por ejemplo, *manco, ciego* o *jorobado*. Bosque señala que decimos *el ciego*, pero no solemos decir *el vidente*, como opuesto al que no ve. Otros ejemplos son *el pecador, el criminal*, etc. Hay una tendencia a sustantivar adjetivos que marcan cualidades de tipo negativo. Bosque también señala que, no en España, pero sí en Sudamérica, se ha extendido una serie de términos como *subversivo, ilegal, indocumentado*, etc., de creación relativamente reciente que, originariamente, son adjetivos, pero que, por su uso frecuente, han pasado a ser utilizados con valor de sustantivo. Por último, con respecto a estos adjetivos reconvertidos en nombres, también podemos encontrar palabras que indican nacionalidad, región o grupo político: *los peronistas, el francés, un protestante*.

3.1. Caracterización morfológica

El adjetivo recibe las categorías de *género* y *número* por concordancia con el sustantivo –*niñ-o-s travies-o-s; perr-a blanc-a*–, ya que tales categorías no le son inherentes como el *género* en el sustantivo.

En español, no todos los adjetivos flexionan en género; algunos tienen una sola forma: *grande, sutil, amable*. El adjetivo permite reconocer el género o el número del sustantivo, cuando éste no los manifiesta morfológicamente –salón *luminos-o*; crisis *agud-a-s*–. En casos como *casa grande*, donde ni el sustantivo ni el adjetivo manifiestan morfológicamente género, sólo la presencia del determinante lo explicita: *la casa grande*. Lo mismo sucede en casos como *pianista brillante* donde el sustantivo no tiene género propio y el sexo del referente extralingüístico rige el género del sustantivo.

3.2. Caracterización sintáctica

El adjetivo se caracteriza por la imposibilidad de aparecer independientemente del sustantivo (Fernández Lagunilla y Anula Rebollo, 1995: 221). Por eso se le reconocen dos funciones básicas: 1) *atributiva*: como modificador de un núcleo sustantivo (24); y 2) *predicativa*, dimensión que adquiere por definirse categorialmente como [+V +N]. De allí que puede funcionar como predicación primaria –exigida por un verbo copulativo (25a) y (26a)– o secundaria –no requerida por el verbo– (25b) y (26b):

(24) Hay una *profunda* crisis económica y social.
(25) a. La crisis del país es *profunda*.
     b. Algunos economistas consideran muy *profunda* la crisis socioeconómica del país.

(26) a. Celia me comentó el hecho muy *tranquila*.
    b. Celia pintó *muy jovial* a su madre.

Otras particularidades del adjetivo son, por un lado, la posibilidad de seleccionar complemento (27) y, por el otro, la de estar acompañado por un especificador (28):

(27) a. María se mantuvo fiel *a sus principios religiosos*.
    b. No es afecto a asistir *a reuniones sociales*.
(28) a. Es *muy* adepta a los ritos orientales.
    b. Se sintió *sumamente* conmovido por la ovación del público.

3.3. Caracterización semántica

El adjetivo ha sido caracterizado como la palabra que señala propiedades o particularidades transitorias –día *nublado*– o permanentes –hombre *alto*– del sustantivo al que modifica.

Además, por su función predicativa, se ha considerado que a diferencia del verbo, cuya predicación está anclada temporalmente, el adjetivo introduce una relación atemporal –*Triste*, el relato–.

3.3.1. SUBCLASES

Cuando pensamos en adjetivos, lo primero que viene a nuestra mente son palabras como *grande, lindo, alto, rojo* o *bueno,* que indican cualidades físicas y psíquicas; sin embargo, otras del tipo de *japonés* e *industrial* o como *único* y *frecuente* también se incluyen en la clase. No obstante, el comportamiento de todos estos grupos no es igual.

Dentro de los adjetivos pueden reconocerse tres grupos:

* Los *calificativos,* que constituyen el *grupo focal* o prototípico.
* Los *relacionales.*
* Los *adverbiales.*

3.3.1.1. Adjetivos calificativos

Los *calificativos,* que denotan propiedades del nombre, son, por lo general, graduables –*muy alto, poco simpático*– y suelen tener valores opositivos: *grande / pequeño; viejo / joven; bueno / malo*; etc. Rodríguez Ramalle (2005) señala que pueden manifestar:

* propiedades físicas: *pesado, blando;*
* las tres dimensiones espaciales de los objetos: *largo, corto, ancho;*
* velocidad: *rápido, lento;*
* edad: *viejo, joven;*
* valoración: *bueno, malo, espantoso, perfecto;*
* actitudes humanas: *sensible, amable, celoso, trabajador;*

• propiedades de las acciones realizadas por individuos: *María es una repostera excelente* (= es buena como repostera).

Respecto de su posición, los calificativos pueden anteponerse o posponerse al nombre. En el primer caso se consideran *explicativos o no restrictivos* –complicado asunto– y, en el segundo, *especificativos o restrictivos* –asunto complicado–.

3.3.1.2. Adjetivos relacionales

Estos adjetivos no denotan propiedades sino que "vinculan al sustantivo con un determinado ámbito" (Di Tullio, 2005: 189): *crisis política / religiosa / institucional; reforma educativa / constitucional; centro estudiantil; secretaría legal y técnica.*

Desde el punto de vista de su formación derivan de sustantivos y equivalen a un SP encabezado por *de*, que marca la relación: *crisis de política / de religión... reforma de la educación / de la Constitución, etc.* También pueden ir acompañados de prefijos como *anti-, bi-, pre-, neo-*, que se unen normalmente a nombres: *antihéroe / anticonstitucional.*

A diferencia de los calificativos, los relacionales no pueden anteponerse al nombre que modifican respecto del cual requieren adyacencia estricta – **constitucional reforma*– **ni tampoco pueden ser usados predicativamente** –**la reforma es educativa*–.

Dado que no indican propiedades, no admiten gradación –**crisis politiquísima*– ni modificadores de grado –**centro muy estudiantil, *crisis bastante política*– ni adoptan valores polares, de modo que *educativa* o *estudiantil* no tienen un opuesto antonímico, excepto que sean recategorizados como calificativos. Así, en algunos casos, estos adjetivos tienen dos interpretaciones, por ejemplo, *una reunión familiar*, puede significar: 1) 'de la familia' (relacional), 2) 'de tipo familiar' (= informal) (calificativo).

La recategorización permite que los relacionales incorporen las características de los calificativos: la posibilidad de graduación –*persona muy religiosa*– y la formación de opuestos –*persona irreligiosa*–. Así cuando decimos *reforma inconstitucional*, el adjetivo no tiene valor relativo ('reforma que no es de la Constitución'), sino que señala que 'no posee la característica de hacerse de acuerdo con lo que señala la Constitución'.

3.3.1.3. Adjetivos adverbiales

La última subclase de adjetivos, los *adverbiales*, son los que "establecen vínculos semánticos y morfológicos con determinadas clases de adverbios –*Las frecuentes llamadas* y *Llama frecuentemente*" (Rodríguez Ramalle, 2005: 169). La función de estos adjetivos, que suelen anteponerse al nombre, por lo que se asemejan a los determinantes –*su último mensaje*, pero no **su mensaje último*–, tiene que ver con la cuantificación o la localización.

De modo semejante a los relacionales no admiten gradación –**su muy / bastante último libro*– ni pueden emplearse predicativamente –**Este libro es último*–. Integran esta subclase adjetivos como *antiguo, próximo, habitual, propios, único, simple, último, etc.*

4. Aspectos didácticos

¿Qué importancia o aplicación puede tener el tipo de conocimiento tan específico que acabamos de plantear? Según dijimos, todas las palabras de la lengua se agrupan en clases y todos los procesos morfosintácticos que realizamos para utilizarlas están condicionados por esta pertenencia. De este modo, conocer las distintas clases permite reconocer la estructura de una palabra e identificar qué prefijos y sufijos podemos agregarle y cuáles no –por ejemplo, de un adjetivo como *trucho* es posible formar los nombres *truchismo* o *truchada*, pero estas terminaciones no pueden agregarse a un verbo como *chatear*–.

Un aspecto didáctico relevante es el que tiene que ver con el correcto establecimiento de las relaciones entre las palabras, es decir, con las concordancias, por ejemplo, entre determinante, adjetivo y sustantivo –*los simpáticos muchachos / las altas águilas*–, entre el verbo y el sustantivo que funciona como núcleo del sujeto –*los muchachos corren*–.

Desde la perspectiva sintáctica, también resulta importante considerar las diferencias entre los elementos opcionales, omisibles, y los obligatorios, por ejemplo, el complemento adjetivo del nombre frente al determinante: *una (hermosa) cartera (negra) (italiana)*.

Pero tal vez uno de los aspectos menos trabajados por la gramática tradicional y estructural, en el que hemos tratado de poner énfasis aquí, es en la incidencia de los valores semánticos de las piezas léxicas en las combinaciones sintácticas de los elementos, por ejemplo, el hecho de que los nombres, si son comunes y están en singular, exijan un determinante, mientras que otras clases de sustantivos pueden prescindir de él –*Compré pan, Siente dolor*– y otras, como los propios, no los necesitan y, cuando los incluyen, remiten a una variedad subestándar –**El Pedro*–. De modo semejante, conocer la subclase semántica de los adjetivos nos permite saber cuál o cuáles son sus posibilidades de colocación en relación con el nombre; así, cuando el adjetivo es calificativo acepta ambas posiciones *pino alto / alto pino*, pero los relacionales, según hemos visto, sólo pueden posponerse –*costa marítima / *marítima costa*–. Asimismo, también los valores semánticos de las clases y subclases de palabras léxicas son los que nos señalan si una combinación es natural –*durazno fresco*–, marcada o de relieve –*casa inteligente*– o directamente imposible en la lengua –**zapato fresco / *ladrillo inteligente*–.

Capítulo 3

Clases de palabras léxicas:
verbo, adverbio y preposición

1. El verbo

Junto con la percepción básica de los objetos, fundamentalmente estática y espacial, nuestra mente concibe representaciones dinámicas relativas a los sucesos o eventos en los que aquellos intervienen. En esta perspectiva, mientras los objetos físicos existen y se ubican en el espacio, los eventos ocurren o duran en el tiempo.

El *verbo* es el elemento alrededor del cual se centra la predicación; de este modo, el suceso se presenta como una puesta en escena que implica necesariamente determinados actores o participantes, manifestados por los argumentos del verbo.

Las formas verbales se dividen, según manifiesten o no categorías morfológicas, en:

1) *finitas o conjugadas;*
2) *no finitas o no conjugadas: infinitivo, participio y gerundio.*

1.1. Formas finitas

1.1.1. CARACTERIZACIÓN MORFOLÓGICA. LA FLEXIÓN VERBAL

Las formas finitas del verbo flexionan según dos tipos de categorías:

- *propiamente verbales:* tiempo, modo y aspecto;
- *de concordancia:* número y persona.

Las categorías verbales, especialmente el tiempo, habilitan a las formas finitas para la predicación, de modo que mediante las categorías de concordancia puedan combinarse con un sujeto. El conjunto así conformado, tiempo y concordancia, se considera que constituye el núcleo de la oración, denominado *flexión*. Como apuntan Fernández Lagunilla y Anula Rebollo (1995: 255):

> Una prueba sencilla es que la palabra *respiré* puede ser analizada como una forma verbal (concretamente primera persona del singular del pasado de indicativo) y, a la vez, como una oración declarativa afirmativa en la que se predica algo (una actividad fisiológica) del sujeto que habla, y que eso sucedió en el pasado. Así pues, la asociación mencionada, sin duda la más fácil de advertir, debe entenderse no sólo en términos puramente morfológicos sino también funcionales y semánticos, pues la flexión verbal es un exponente de la relación predicativa entre un SN y un SV, que se configuran respectivamente como el sujeto y el predicado de la oración.

1.1.1.1. Categorías inherentes: tiempo, aspecto y modo

El tiempo en sentido gramatical implica una relación entre un evento y una referencia, que es el punto o intervalo respecto del cual el suceso se sitúa. En principio, cualquier momento puede funcionar como referencia, sin embargo, la mayoría de las lenguas seleccionan primariamente el de la emisión.

Las relaciones temporales básicas resultan de considerar la relación entre el evento y su referencia, que puede ser *anterior, simultánea o posterior* a él, de donde se derivan las *tres relaciones temporales fundamentales: pasado, presente y futuro.*

Hay dos tipos de *tiempos verbales:*

1) *absolutos o deícticos*, que se determinan en relación con el tiempo de emisión;
2) *relativos o anafóricos,* que se orientan según otra referencia.

Para el español se consideran *tiempos deícticos* el *presente* –*canto*– (1), el *perfecto simple* –*canté*– (2) y el *futuro* –*cantaré*– (3), que indican, respectivamente, simultaneidad, anterioridad y posterioridad al momento del habla.

(1) En este momento, el futbolista *patea* la pelota a su compañero.
(2) El mes pasado Mario *visitó* España y las islas Canarias.
(3) La semana próxima *iremos* al sur de vacaciones

En cambio, el imperfecto –*cantaba*– (4), el pluscuamperfecto –*había cantado*– (5) y el condicional –*cantaría*– (6) son tiempos anafóricos, porque su señalamiento temporal es de simultaneidad, anterioridad y posterioridad respecto de otro tiempo, el pasado.

(4) Cuando llegué al colegio, la maestra se *retiraba* (= se estaba retirando).
(5) Cuando llegué al colegio, la maestra ya *se había retirado.*
(6) La maestra anunció que *se retiraría* temprano.

En relación con presente y futuro, encontramos sólo dos tiempos relativos: el pretérito perfecto –*he cantado*– (7), que señala anterioridad con el presente, y el futuro perfecto –*habré cantado*– (8), que indica lo propio respecto del futuro.

(7) Me *han dicho* muchas cosas, pero yo no las creo.
(8) Los empleados aseguran que a mediodía ya *habrán terminado*.

Por último, el español cuenta con un tiempo relativo de tercer grado, para cuya determinación es necesario tener en cuenta dos referencias: el condicional perfecto –*habría cantado*– (9), que señala anterioridad a una segunda referencia (R2) posterior a la primera referencia (R1), que, a su vez, es anterior al momento de la emisión.

(9) Esta mañana los empleados aseguraron$_{R1}$ que a mediodía$_{R2}$ ya *habrían terminado* los informes.

En el subjuntivo, las relaciones temporales se mantienen pero, como hay menos formas, las de presente, junto con los adverbios temporales correspondientes, también se utilizan para indicar posterioridad:

(10) Dudo que lo haga ahora / hoy (presente).
(11) Dudo que lo haga mañana (futuro).

> El *tiempo* constituye una determinación externa del evento que lo relaciona con su momento de ocurrencia.
> El *aspecto* es una categoría interna que da cuenta del evento en sí mismo, es decir, de cómo ocurre, transcurre, si se repite, cuánto se extiende, etc.

Para Lyons (1997: 350), el tiempo afecta todo el enunciado, al que ancla y actualiza, de modo que "es semánticamente comparable con los demostrativos y los determinantes"; al aspecto, en cambio, le corresponde categorizar o clasificar al evento, por lo que "es semánticamente comparable con los clasificadores y los cuantificadores" (ídem). El efecto del aspecto es circunscribir o delimitar el desenvolvimiento interno (o desarrollo) y el externo (singularidad, repetición o continuidad) del evento por medio del particular enfoque que el hablante le impone, por eso es una categoría de manifestación múltiple y compleja (cf. Giammatteo, 2004).

El contraste aspectual básico *imperfectivo / perfectivo* es el que opone los dos pretéritos del español:

- el *imperfecto* –*cantaba*–, que muestra al evento en desarrollo, y
- el *perfecto simple* –*cantó*– que presenta el suceso de modo global y sin atender a su desenvolvimiento interno.

También es aspectual la diferencia entre los tiempos perfectos, que muestran al suceso terminado y en sus resultados o efectos –*ha / había / hubo / habrá cantado*– y los simples (excepto el perfecto simple *cantó*). En el primer caso –*cantó / cantaba*– tenemos la única manifestación morfológica de aspecto en español; los tiempos perfectos, en cambio, se expresan mediante perífrasis. Las perífrasis también indican otros valores, que se consideran aspectuales porque tienen que ver con el modo en que el hablante enfoca el evento y que, en español, manifiestan repetición –*volvió a cantar*– o habitualidad –*suele cantar*–. Asimismo son aspectuales las perífrasis relacionadas con las fases del evento: inicio –*empezó / comenzó a cantar*–, término –*terminó, dejó de cantar*–, desarrollo –*está cantando*–, continuidad –*siguió cantando*–, etc.

Dentro del *aspecto* se reconocen dos subtipos que interactúan oracionalmente:

- *aspecto gramatical o de punto de vista,* que indica el enfoque con que el hablante presenta el evento mediante recursos morfológicos o sintácticos (perífrasis);
- *aspecto léxico,* que es el que describe el tipo de situación de que se trata y se manifiesta por el mismo lexema verbal.

El aspecto léxico distingue si el evento es puntual –*morir, caer*–, durativo –*estudiar, viajar*–, repetido –*parpadear*–, etc. Así, según el punto de vista que escoja, el hablante puede reforzar el valor léxico de un verbo (12a) y (13a) o modificarlo (12b) y (13b):

(12) a. Cuando yo llegué, Pedro *dormía* (= estaba durmiendo). (Un evento durativo en aspecto imperfectivo refuerza su valor.)
   b. Ayer Pedro *durmió* toda la tarde. (Un evento durativo en aspecto perfectivo se considera globalmente, sin tenerse en cuenta su desarrollo interno.)
(13) a. *Salió* de su casa a las cinco. (Un evento puntual en aspecto perfectivo refuerza su valor.)
   b. *Salía* (= estaba saliendo) del edificio y se encontró con el portero. (Un evento puntual en aspecto imperfectivo se presenta como extendido y en desarrollo.)

El *modo* tiene como función caracterizar la realidad del evento comparando el mundo en que este ocurre con otro de referencia, denominado el "mundo real".

Al igual que el tiempo, el modo provee un estándar externo para situar el evento. Mientras en el caso del tiempo se trata de una referencia temporal, para el modo la referencia es el mundo real, a partir del cual se deriva la oposición modal básica *real / irreal*. Como sostienen Fernández Lagunilla y Anula Rebollo (1995: 261), es el hablante el que atribuye a los hechos denotados por el evento un grado de realidad determinada. El primer polo de la oposición real / irreal puede interpretarse como referido a eventos "reales", "actuales" o efectivamente ocurridos, el segundo comprende los sucesos que el hablante presenta como "inactuales", "virtuales" o "eventuales".

El modo de la realidad por antonomasia es el *indicativo*. El *subjuntivo*, en cambio, no siempre se corresponde con la "irrealidad" sino que indica una suspensión de la afirmación de realidad respecto de la ocurrencia del evento, por parte del hablante, y plantea distintos matices de lo no real o virtual: probabilidad, posibilidad, duda, temor, deseo, etc.

El subjuntivo se usa poco como modo independiente (14), ya que es el modo de la subordinación por excelencia (15):

(14) *Que vengan pronto. Ojalá que llueva.*
(15) *Pidió que vinieran pronto.*

En algunos casos, según el grado de certeza que posea, el hablante puede elegir entre indicativo y subjuntivo (16) pero en otras tal elección no es posible, ya que el uso de uno u otro modo está regido por algún elemento contextual, que puede ser un verbo (17) y (18) o un adverbio (19) y (20):

(16) *Tal vez* viene / venga *enseguida*
(17) *Asegura* que viene / *venga.
(18) *Dudo* que venga / *viene.
(19) *Seguramente* viene / *venga.
(20) *Difícilmente / ojalá* venga / *viene.

Frente a los dos modos presentados, que se vinculan con la función representativa del lenguaje, el imperativo o modo de la exhortación (que comprende órdenes, ruegos, pedidos, etc.) está íntimamente relacionado con la función apelativa; de ahí que sólo posea como formas propias las de segunda persona (21):

(21) *Únete a nosotros y verás.*

1.1.1.2. Categorías de concordancia: persona y número

Las desinencias más externas de las formas verbales –*cantába-mos*– son las que de modo fusionado o conjunto manifiestan las dos categorías de concordancia: persona y número.

La *persona*, como el tiempo, es una categoría deíctica, que proviene de la situación comunicativa:

- la *primera* persona se refiere al hablante;
- la *segunda,* nombra al oyente;
- la *tercera*, representa al que no es ni hablante ni oyente.

La tercera persona o aquella de la que se habla puede no estar presente, aunque ambos interlocutores pueden hacer referencia a ella en su discurso. De ahí que se la pueda identificar como la no persona y se emplee en la mayoría de los usos impersonales del verbo –*Llueve, Es tarde, Aquí se vacuna*–.

En cuanto al *número*, que es también una categoría de concordancia aunque se manifiesta en el verbo, no pluraliza al evento sino a sus participantes: *cantan* no indica la repetición del evento, sino que los que realizan esta acción son más de uno.

Dado que ambas categorías –persona y número– legitiman al sujeto oracional, sólo las formas finitas, que las poseen, pueden tener un sujeto explícito:[1]

> (22) María dijo que tenía fiebre / tener *ella fiebre.

A diferencia de otras lenguas como el inglés o el francés en las que, por tener una flexión verbal más pobre, el sujeto tiene que estar obligatoriamente expreso en la oración (23) y (24), en español, la manifestación de persona y número en el verbo mediante las categorías de concordancia hace posible que el sujeto pueda no explicitarse (25):

> (23) *Parle a son pere / Il parle a son pere.
> (24) *Talks to his father / He talks to his father.
> (25) Habla con su padre / Él habla con su padre.

La concordancia exige coincidencia entre las categorías de persona y número del sujeto y del verbo para que la oración esté bien formada:

> (26) *Yo salió temprano / Yo salí temprano
> (27) Él salieron temprano / Él salió ...

Sin embargo, el español permite algunas concordancias especiales, como la ya mencionada entre el verbo y el complemento plural del núcleo del sujeto –una bandada de gaviotas recorre / recorren el cielo (ver supra 2.3.1.3.)–. Otro caso de discordancia se produce cuando en un sujeto humano de tercera persona se incluye al hablante o al oyente, de modo que el verbo puede concordar en tercera persona (28), pero también en primera (29) o, según la norma española, en segunda plural (30):

> (28) Los profesores de esta cátedra se reúnen los viernes.
> (29) Los profesores de esta cátedra nos reunimos los viernes. (Hablante incluido)
> (30) Los profesores de esta cátedra os reunís los viernes. (Oyente incluido)

1.1.2. CARACTERIZACIÓN SINTÁCTICA

Al verbo, que es la palabra central de la predicación, sólo le corresponde la función oracional de núcleo del predicado. Aunque algunos verbos pueden desempeñar solos esta función –Trabaja, corre–, por lo general se rodean de un conjunto muy específico de modificadores. Al igual que los modificadores del nombre, también los del verbo no se encuentran todos en la misma relación respecto del núcleo. Así, en (31):

---

1. Aunque, en algunas construcciones, en las que no nos detendremos aquí, las formas no finitas pueden tomar sujeto, por ejemplo: ¿Beber yo?, Chicos jugando en la plaza.

(31) Reconoció *su error* y se disculpó *con los perjudicados,*

mientras *reconocer*, en el sentido aquí utilizado, requiere la presencia del complemento OD, el modificador que acompaña a *se disculpó* (= pidió disculpas) no es exigido por la semántica del verbo y puede omitirse sin poner en peligro la gramaticalidad de la oración.

Los modificadores del SV constituyen dos grupos:

1) *complementos*, que son seleccionados o exigidos por el verbo y desempeñan un papel en la estructura temática o argumental;

2) *adjuntos,* que son más externos o "periféricos" y no son nunca obligatorios, por lo que pueden agregarse o quitarse libremente.

Entre los complementos se encuentran el complemento OD –compró *pan*–, el indirecto –le regaló un libro *a su amigo*–, y el régimen –depende *de su padre*; confía *en su madre*– y algunos circunstanciales, cuando el significado del verbo los requiere –*Se porta bien* / **Se porta*; *Puso el libro en el estante* / **Puso el libro*–. El agente, por su particular relación con el sujeto de la oración, también se considera un complemento, si bien nunca es obligatorio –*Las ruinas fueron descubiertas por un aventurero*–. Con algunos verbos el complemento, cuando tiene sentido general o puede deducirse del contexto, es omisible –*Ya comimos (algo comestible)*–.

Los adjuntos son los circunstanciales que pueden agregarse a voluntad –*Juan se marchó (de noche) (en moto) (con su novia) (a mucha velocidad) (por la carretera)*–.

Como núcleo del predicado, el verbo rige a sus complementos a los que, cuando están pronominalizados, les exige manifestar la categoría de caso objetivo[2] –*lo* vi; *les* pedí el libro–. Los verbos copulativos *ser, estar* y *parecer* rigen en el pronombre el caso predicativo –*Es / parece alto, Sí, lo es / parece*–. Además, el verbo puede exigir una preposición determinada en el complemento: *Se acordó de todos, Pienso en la solución*.

1.1.3. Caracterización semántica

Para la gramática tradicional el verbo era la palabra que se refería a una 'acción'. En este sentido, el referente típico de un verbo es un evento que sucede en un momento determinado del tiempo y que produce un 'cambio' en el estado de situación, por ejemplo *subir* indica 'cambio de lugar', *leer* 'cambio en el estado de conocimiento o información', etc. Sin embargo, no todos los verbos implican 'cambio': los de estado, por el contrario, se refieren a una situación que naturalmente se mantiene sin modificación: *tiene canas, sabe inglés, conoce París,* etc.; sin embargo, dado que poseen las demás propiedades morfosintácticas de los verbos, también se incluyen en la clase.

---

2. La categoría de caso se trata en relación con la preposición (ver infra 3.3.).

1.1.3.1. La estructura argumental

La distinción sintáctica entre complementos y adjuntos está estrechamente vinculada a su funcionamiento en la denominada estructura argumental del verbo, en la que sólo los primeros intervienen.

Así como sintácticamente el verbo selecciona a sus complementos, en el nivel semántico elige las *funciones argumentales* asociadas con su significado.

Por ejemplo, un verbo como *comer* pide dos argumentos: el primero, que representa al que realiza la acción, tiene que ser "animado"; el segundo, lo que se come, tiene que hacer referencia a algo 'comestible'. Así, es posible *Mara come una manzana*, pero no **La computadora comió una galletita* ni tampoco **Pedro comió un sabroso disco compacto*.

> La *estructura argumental* del verbo es el conjunto de argumentos que selecciona, que representan los distintos participantes que intervienen en el desarrollo del evento.

Por ejemplo, un verbo como *elegir* involucra dos: alguien (agente), que elige algo (tema), *correr* sólo pide uno (agente), *poner* exige tres: alguien (agente) pone algo (tema) en algún lugar (locativo). Cada uno de estos participantes expresa una relación semántica determinada con el predicado. Si bien no hay acuerdo absoluto respecto de cuántos y cuáles sean los *papeles temáticos*, los más reconocidos son:[3]

1) *Agente:* el que voluntariamente causa y realiza una acción, como *Pedro* en *Pedro levantó la mano*. El agente es típicamente 'animado'. Cuando el causante de la acción no tiene el rasgo "animado" se identifica como *causa* o *fuerza*, como *el viento* en *El viento abrió la ventana*; o como *instrumento* –el medio u objeto empleado para realizar la acción–, como *la cuchara* en *Pedro revolvió el guiso con la cuchara*.

2) *Tema:* el objeto efectuado, afectado o trasladado o cuya existencia o posición se predica, como *la pelota* en *Pedro pateó la pelota*. Cuando es "animado" suele denominarse *paciente*, como *Juan* en *Pedro saludó a Juan*.

3) *Experimentante:* el que experimenta un estado psicológico o cognitivo determinado, como *Pedro* en *Pedro teme a las arañas*.

4) *Beneficiario:* el que recibe beneficio o daño –*maleficiario*– de un suceso, como *Pedro* en *Pedro perdió la billetera*.

5) *Locativo:* el que designa una ubicación en relación con el evento, como *la mesa* en *Pedro puso el libro sobre la mesa*.

6) *Fuente (u origen):* entidad o lugar a partir del cual se origina la actividad, como *mi abuela* en *Recibí un regalo de mi abuela* o *La avenida Rivadavia comienza en (a partir de) el río*.

7) *Meta:* la entidad o lugar hacia el que se dirige la actividad, como *Juan* en *Entregaron el certificado a Juan* o *el lago* en *El parque se extiende hasta el lago*.

---

3. Para la definición de los papeles temáticos nos hemos basado en Fernández Lagunilla y Anula Rebollo (1995) y en Radford (1997).

Aunque, como muestran los ejemplos anteriores, existen relaciones, no se da, sin embargo, una correspondencia uno a uno entre funciones sintácticas y papeles temáticos. Una misma función, como la de sujeto u objeto, puede estar desempeñada por distintos papeles; así, por ejemplo, en las oraciones de arriba en las que *Pedro* es sujeto, no siempre realiza el papel de agente sino que también puede ser experimentante y beneficiario. Además, inversamente, como se muestra en (32) y (33), una misma función sintáctica puede estar realizada por distintos papeles:

(32) a. El *profesor* explicó el *problema*.
    b. El *problema* fue explicado *por el profesor.*
(33) a. *Yo* temo a las arañas.
    b. *Me* asustan las arañas.

En (32a) el papel temático de agente está representado por el sujeto –*el profesor*– mientras que en (32b) este papel lo cumple un complemento agente. En cuanto al tema, sucede inversamente: en (32a) es representado por el complemento directo –*el problema*– y en (32b), por el sujeto. En (33a), el sujeto –*Yo*– representa al experimentante, y este mismo papel, en (33b), es manifestado por el objeto indirecto (OI) –*me*–.

1.1.3.2. La clasificación de los eventos

El lexema verbal aporta información sobre el tipo de evento de que se trata, lo que ya dijimos que tiene que ver con el aspecto léxico. Este conocimiento sobre la naturaleza del evento tiene repercursiones sintácticas, puesto que determina sus correlaciones y restricciones de combinación con distintos modificadores, pero no de modo individual, pues estos comportamientos, en líneas generales, responden a clases específicas denominadas *clases eventivas o aspectuales.*

En el siglo pasado hubo varias propuestas para clasificar los verbos desde el punto de vista aspectual, de las cuales la más difundida fue la de Vendler (1967), que distinguió:

- **Estados:** *María tiene hambre; Luis es alto.*
- **Actividades:** *Ana juega a las cartas; Corren alrededor de la plaza.*
- **Realizaciones:** *Ana cruzó la calle; Comió un pedazo de torta.*
- **Logros:** *La bomba explotó; Encontró lo que buscaba.*

La clasificación anterior descansa en una serie de oposiciones basadas en rasgos aspectuales contrarios. Los estados se diferencian de los otros tres grupos, que reciben la denominación común de *eventos,* por su carácter estático y sin cambios. Los eventos, en cambio, son situaciones dinámicas, cuyo desarrollo puede implicar fases (por ejemplo, inicio, desarrollo, fin). Dentro de los eventos, las actividades se distinguen de las realizaciones y los logros porque, al igual que los estados, su culminación no implica un fin. Según se dice, las actividades no necesitan llegar a su culminación para haber tenido lugar o haberse realizado, ya que "se cumplen en cada una de sus partes" (García Fernández, 2000: 62). Así, si *Ana juega a las cartas* y deja de hacerlo, puede decirse que ha jugado a las cartas, en cambio, si *cruza la calle* y es interrumpida, no puede afirmarse que cruzó la calle. El rasgo que distingue realizaciones y logros es que las primeras, como los estados y las actividades, tienen una cierta duración, mientras que los logros, que son de cumplimiento instantáneo, poseen una duración despreciable.

1.1.4. SUBCLASES SINTÁCTICO-SEMÁNTICAS

Las clasificaciones sintácticas de los verbos buscan captar los esquemas de construcción más típicos y establecer su correlación con representaciones semánticas específicas, lo que permite distinguir dos clases básicas:

1) transitivos y ditransitivos;
2) intransitivos.

1.1.4.1. Verbos transitivos y ditransitivos

Tradicionalmente se identificaron como transitivos los verbos en los que la acción pasa del sujeto al objeto. Esta definición, además de demasiado imprecisa, deja de lado aquellos casos en que el objeto no resulta afectado por la acción del verbo: *Pedro miró el cuadro* (cf. *Pedro pintó el cuadro*).

Son *transitivos* los verbos que, además del argumento externo o sujeto, que representa al agente, seleccionan un complemento interno, el OD, con el papel de tema / paciente y lo marcan con el caso acusativo, como se puede ver en la pronominalización –*Juan escribió una novela = Juan la escribió*. Se trata de verbos que, además, admiten pasivización del OD –*La novela fue escrita*–.

Dentro de los verbos transitivos se reconocen dos variantes:

- Los que no requieren la explicitación del OD –*Juan pinta*–, porque "el argumento implícito es indefinido ('algo')", si bien en otros casos "no es necesario sobreentender ningún objeto", ya que el predicado manifiesta "la capacidad, habilidad o disposición del sujeto", que es agente, respecto del hecho manifestado por el verbo: *Ve / lee con cierta dificultad* (Di Tullio, 2005: 120).
- Los que exigen la presencia del objeto para la buena formación de la oración –**Juan compró*–. En ciertos casos, la ausencia del objeto resemantiza al verbo –*Juan bebe* (= es bebedor)–.

Entre los transitivos se incluyen los verbos de medida y duración –*medir, distar, durar, tardar*– y los de valoración –*costar, valer, valorar*–, cuyo complemento puede ser un adverbio o una frase de medida cuantificada –*Juan pesa mucho; El chico mide ochenta centímetros*– (Rodríguez Ramalle, 2005: 209). Estos verbos requieren, como los transitivos, un complemento para completar su significación. En consecuencia, podría postularse una distinción entre transitivos "puros" / "no puros" o "más prototípicos" / "menos prototípicos", ya que, si bien algunos de estos de verbos admiten la pronominalización –*La mesa mide dos metros = La mesa los mide*–, hay otros cuyo objeto no resiste esta sustitución –*La tintura dura mucho tiempo = *La tintura lo dura*–. En cuanto a la pasivización, ninguno de estos verbos la admite.

Algunos verbos graduales, como *mejorar, empeorar, aumentar, distinguir, engordar,* son considerados neutros respecto de la transitividad, puesto que tienen una forma transitiva y otra intransitiva (Di Tullio, 2005: 121).

     (34) a. El aumento de los precios recrudeció la inflación.
         b. Recrudeció la inflación.

Hay verbos que, aunque son inherentemente intransitivos, admiten un objeto de la misma base léxica, denominado "objeto cognado".

     (35) Vivió una vida opulenta.
     (36) Soñó un sueño horrible.

Las particularidades mencionadas han instalado, entre los gramáticos, el problema de los límites entre transitivos e intransitivos. Al respecto, Di Tullio (2005: 119) considera que "habría, pues, grados de transitividad", mientras que para Mendikoetxea (1999: 1577):

> La clasificación de un verbo como transitivo o intransitivo es algo intrínseco a su significado e independiente del uso concreto de ese verbo con o sin complemento directo. Así, un verbo como *atacar* es transitivo independientemente de que pueda aparecer con un complemento directo expreso: *La guerrilla ha atacado [la ciudad / a la población]*; o no: *La guerrilla ha atacado de nuevo.*

Los *verbos transitivos* son diádicos porque, además del argumento o sujeto, seleccionan un solo argumento interno, el OD. Los *verbos ditransitivas* son triádicos porque, además de los dos argumentos ya señalados, requieren uno interno: *Juan le entregó el diploma de médico a su hijo.*

Desde el punto de vista semántico, son ditransitivos los verbos:

-   De comunicación: *comunicar, prometer, decir.*
-   De transferencia: *dar, entregar, prestar.*
-   De influencia: *ordenar, aconsejar, pedir.*
-   De creación, destrucción o modificación del objeto: *hacer, pintar, limpiar.*
-   Los que señalan posesión entre ambos objetos: *Le robaron la billetera (= su billetera) a Juan.*

Los de creación o destrucción pueden llevar como uno de sus argumentos un beneficiario positivo o negativo: *Juan le decoró el departamento a su hermana.*
    En todos los casos el OI, que se construye con *a*, puede reemplazarse por el pronombre *le*. Con los verbos de creación y destrucción, la construcción con *a* alterna con *para* –*Juan decoró la oficina para su hermana*– y con los de posesión, *a* alterna con *de* –*Robaron la billetera de Juan*–.

1.1.4.2. Verbos intransitivos: puros e inacusativos

> Los verbos *intransitivos* se caracterizan por ser monádicos, pues sólo requieren un participante o argumento en función de sujeto.

La función sujeto puede ser realizada por diferentes papeles temáticos según la semántica que se establece entre el verbo y el argumento, lo que permite clasificar los intransitivos en:

- **puros, con sujeto agente:** *Juan trabaja; María corre*;
- **inacusativos, con sujeto tema:** *Floreció el rosal; Creció el río.*

Desde el punto de vista semántico, el sujeto de los inacusativos es tema porque designa "al que padece, o en el que se manifiesta, la eventualidad que denota el verbo" (Mendikoetxea, 1999: 1577).

Intransitivos puros

> Los *intransitivos puros* son aquellos verbos en los que el único argumento exigido representa una causa externa responsable de la acción.

Las subclases comprenden verbos en los que la acción tiene lugar en el individuo –*bromear, gesticular, hablar*– e incluyen a los de emisión de sonido o sustancia –*gritar, llorar, transpirar*–. Con sujetos no humanos, algunos tienen usos inacusativos –*La encía sangra; Las luces de los árboles navideños brillan en las calles*–.

Inacusativos

> Los *inacusativos* son aquellos verbos cuyo único argumento, en función sintáctica de sujeto, no representa al agente sino al tema

Dado que denota al elemento que sufre el cambio de estado efectuado por el verbo, el tema-sujeto presenta la particularidad de tener la misma función semántica del objeto de un verbo transitivo: *María cortó la luz / Se cortó la luz.*

Se reconocen *dos clases semánticas de inacusativos* (Levin y Rappaport Hovav, 1995, en Mendikoetxea, 1999: 1583):

1) **los de cambio de estado o ubicación**, que poseen también una variante transitiva: *romper(se), abrir(se), crecer, florecer*, y
2) **los de existencia y aparición:** *agotarse, amanecer, desaparecer.*

Rodríguez Ramalle (2005: 222) incluye como inacusativos verbos que

> ...denotan cambio de estado físico o psíquico y que poseen también usos transitivos: *Todos nos emocionamos; Pedro ha engordado.* La diferencia entre la variante transitiva y la inacusativa reside en que en esta última el objeto pasa a ser sujeto de la oración.

En general, el sujeto de los inacusativos va pospuesto al verbo y ocupa la posición propia del OD, siguiendo al verbo, por lo que decimos *Falta agua* y no *Agua falta.

1.2. Formas no finitas: aspectos morfológicos, sintácticos y semánticos

Las *formas no finitas*, dado su comportamiento verbonominal, tienen un evidente *carácter híbrido* ya que no son auténticos derivados verbales, puesto que los derivados responden a un proceso morfológico opcional, mientras que ningún verbo carece de infinitivo, participio o gerundio (Martínez, 1999).

No obstante, deben excluirse de las formas no finitas algunas como *(el) deber / (los) deberes, (la) llegada / (las) llegadas, (el) doctorando / (la) doctoranda / (los) doctorandos,* que mediante la derivación –concepto al que se adecuan perfectamente, ya que son de creación asistemática y se dan sólo con ciertos verbos– se han convertido en verdaderos sustantivos, cuyo comportamiento responde en todo al de esta clase.

En cuanto a su conformación morfológica, cada una de las formas no finitas presenta una vocal, llamada temática (VT), que permite identificar la conjugación a la que el verbo pertenece, seguida de una terminación específica:

- **Infinitivo.** VT -*a*~ -*e*~ -*i* + desinencia -*r*: *am-ar, tem-er, part-ir.*
- **Gerundio.** VT -*a*~ -*ie* + desinencia -*ndo:- am-ando, tem-iendo; part-iendo.*
- **Participio.** Presenta alternativas según sea o no concordado:
  - **concordado** (se emplea en la voz pasiva y demás usos) VT -*a*~ -*i* + desinencia variable en género y número: *am-ado / -ada / -ados / -adas; tem-ido / -ida / -idos / -idas; part-ido -ida / -idos -idas;*
  - **no concordado** (forma los tiempos compuestos). VT -*a*~ - *i* + desinencia -*do* / invariable: *am-ado, tem-ido, part-ido.*

De las tres formas no finitas, sólo el participio concordado no resulta invariable, ya que puede adjuntar a la terminación propia las desinencias nominales de *género y número.*

Con respecto a las categorías verbales –tiempo, aspecto y modo–, las formas no finitas sólo manifiestan *aspecto,* no de forma flexional sino inherente, es decir, en su propia naturaleza. Las tres presentan una marcación diferente de aspecto: el infinitivo carece de la posibilidad de referirse a "cualquier perspectiva temporal" (Porto Dapena, 1989: 148). Como señala Hernanz (1999), es neutro en relación con las otras dos formas que marcan valores específicos: el gerundio presenta el proceso en desarrollo, por lo tanto es durativo, y el participio indica el proceso como terminado, de ahí su sentido perfectivo-resultativo.

Del valor aspectual de cada forma no finita se deriva su *utilización en las perífrasis verbales*:

- El *infinitivo*, que es neutro, es el que más combinaciones admite y puede manifestar valores como el inceptivo *–empezó a cantar–*, el terminativo *–dejó de cantar–*, el habitual *–suele cantar–* o el de repetición *–volvió a cantar–*.
- El *gerundio* se emplea en perífrasis con valor durativo como, por ejemplo, la progresiva *–estoy cantando–* y la continuativa *–siguió cantando–*.
- El *participio*, que es perfectivo / resultativo, se utiliza en los tiempos compuestos *–había cantado–* y en la voz pasiva *–fue cantado–*.

Desde el punto de vista sintáctico, las terminaciones de infinitivo, gerundio y participio aportan al verbo

...la capacidad para que el sintagma resultante [...] pueda funcionar como un nominal –sustantivo el infinitivo, adverbio o adjetivo, el gerundio– sin por ello perder sus capacidades verbales. (Martínez, 1999: 6)

La particular naturaleza de las formas no finitas les permite, sin perder su esencia verbal, funcionar, respectivamente y, según los contextos, como sustantivos, adjetivos o adverbios.

Así, en (37a) el infinitivo tiene valor verbal, mientras que en (37b) es nominal:

(37) a. (El) *peregrinar* por tierras extrañas nos preocupa.
   b. El *peregrinar* de Juan por tierras extrañas nos preocupa.

En (37a), donde el infinitivo tiene funcionamiento verbal, el determinante puede omitirse y la construcción acepta sujeto *–El peregrinar–*, mientras que en (37b), donde el infinitivo funciona nominalmente y tiene un complemento marcado con la preposición *de,* que representa al agente *–el conjunto equivale a Juan peregrina–*, la omisión del determinante no es posible. En este segundo caso, el infinitivo puede alternar con un sustantivo de la misma base, que puede usarse tanto en singular como en plural *–El / Los peregrinaje(s) de Juan–*. Cuando el infinitivo se comporta sintácticamente como verbo rige complementos y admite adjuntos (38a), mientras que cuando es sustantivo acepta adjetivos y complementos preposicionales agentivos, pero rechaza adverbios de modo, como *continuamente,* que el infinitivo verbal permite (38b):

(38) a. El *peregrinar* (Juan) *continuamente* por tierras extrañas...
   b. El *continuo / * continuamente peregrinar de Juan* por tierras extrañas...

Otro comportamiento opuesto entre el infinitivo verbal y el nominal radica en que el primero rechaza los posesivos y demostrativos (39a), que el segundo acepta (39b):

(39) a. *Su / *Ese haberlo descubierto* el juez culpable del delito destrozó anímicamente al imputado.
b. *Su / Ese constante deambular* por el lugar del hecho lo convirtió en sospechoso.

En cuanto al gerundio, nunca pierde del todo su carácter verbal, aunque presenta usos como adverbio (40a) y como adjetivo (40b):

(40) a. *Peregrinando* por tierras extrañas, encontraron a un falso profeta.
b. Por todas partes podía verse gente *peregrinando* (= que peregrinaba, peregrinante).

Por último, también el participio presenta doble función, ya que puede actuar como adjetivo (41a) y como verbo (41b):

(41) a. Los *sufridos* jubilados ven cada vez más lejos la posibilidad de mejorar sus ingresos
b. Las autoridades, *presionadas* por los fanáticos de la institución, deben dar una respuesta.

Como observa Bosque (1991: § 8.2), en muchos casos se originan ambigüedades porque en un sintagma una misma forma puede ser considerada participio verbal o adjetivo. Por ejemplo en *edición reducida*, el sustantivo *edición* se puede interpretar como sujeto paciente del verbo transitivo *reducir* que admite un agente –*por el editor* → *La edición (fue) reducida por el editor / El editor redujo la edición;* pero también puede ser considerado como un adjetivo, con el valor de "pequeña". En la interpretación adjetiva, es posible anteponer el participio al sustantivo –*una reducida edición*– y en esa posición *edición* no puede ser paciente; por el contrario, cuando el participio es verbal tiene siempre posición posnominal. Frente a casos ambiguos como el citado, pueden darse dos posibilidades: 1) que la forma participial sólo tenga interpretación adjetiva, especialmente cuando por razones semánticas el sustantivo no puede ser paciente del verbo transitivo; por ejemplo *hombre decidido / *hombre decidido por el destino;* o 2) que el participio sólo tenga interpretación verbal: *casa tomada*. En este último caso, el sustantivo *casa* puede ser sujeto paciente del verbo transitivo *tomar* → *La casa fue tomada por malvivientes / Malvivientes tomaron la casa.*

Al no ser auténticos derivados verbales, las formas no finitas no modifican el significado de la base verbal. La sola excepción serían algunos participios en los que el significado activo del verbo se convierte en pasivo, por ejemplo, en *Vengo cenado*.

Dado que, aunque particulares, las formas no finitas conservan su naturaleza verbal, se comportan igual que las no finitas en cuanto a la rección y selección de complementos:

(42) Espera *vengarlo* (*vengar* rige caso objetivo en el complemento).
(43) Suele *pensar en* cosas tristes (*pensar* exige un complemento preposicional).
(44) Estaba comiendo una galletita (*comiendo* selecciona un paciente "comestible").

2. El adverbio

Dentro de las clases léxicas, el adverbio y la preposición se consideran invariables. Basándose en esta característica, algunos autores han buscado darles un tratamiento unificado, con la única diferencia de que la preposición exige tras de sí un complemento –*para mi madre, en la casa*–, mientras que el adverbio, por lo general, lo omite, aunque también puede opcionalmente aceptarlo –*cerca de mi casa, hoy temprano*–.

2.1. Caracterización morfológica

A diferencia del sustantivo, del adjetivo y del verbo, el adverbio no manifiesta categorías morfológicas flexionales. Tampoco manifiesta concordancia ni rige a su complemento. Algunos adverbios presentan procesos morfológicos de derivación y forman diminutivos –*ahorita, despacito*– y superlativos –*tempranísimo, cerquísima*–.

Los adverbios terminados en -*mente* pueden formarse a partir de:

* un adjetivo superlativo: *clarísimamente*;
* un derivado no apreciativo: *forzosamente*;
* un compuesto: *clarividentemente*, y
* un parasintético: *malhumoradamente* (Kovacci, 1999: 708).

2.2. Caracterización sintáctica

Respecto de esta clase de palabra, usualmente en la gramática se ha utilizado la expresión "cajón de sastre", porque todo lo que no estaba muy bien clasificado o no se sabía dónde ubicar iba a parar ahí. Para la gramática tradicional, el adverbio era la palabra que cumplía la función de modificar al verbo –*Llegó rápidamente / bien*–, al adjetivo –*bastante / muy lindo*– o a otro adverbio –*muy bien*–. Sin embargo, desde una perspectiva estructural, Ana María Barrenechea (1963) advierte que las dos últimas funciones no pueden cumplirlas todos los adverbios sino sólo un grupo reducido como *muy, bastante, poco*, etc. El planteo de Barrenechea nos sirve para diferenciar formas que la gramática tradicional –y también la estructural– clasificaba juntas, pero que no resultan intercambiables, ya que las que funcionan en relación con el verbo no pueden modificar a un adjetivo o a otro adverbio y viceversa, por lo que no podemos decir: **rápidamente lindo / bien* ni **Llegó muy / bastante*. Esto significa que la función que cubren palabras como *rápidamente, bien* o *francamente* es diferente de la que cumplen otras como *muy, bastante* o *poco.* Éste es un ejemplo de los efectos del "cajón de sastre", ya que encontramos dos clases diferentes dentro de la misma clase general de los adverbios. Sin embargo, palabras como *bastante, muy* o *poco,* en realidad son cuantificadores que, junto con los determinantes, integran la clase funcional de los determinativos. No obstante, como veremos (ver infra 3.1.), por su naturaleza pronominal pueden funcionar, en algunos contextos, a la manera del adverbio.

¿Cómo funcionan, entonces, los adverbios? Los *adverbios* son una clase de palabra con "diversidad de comportamientos sintácticos" ya que "funcionan en varios niveles de estructuración, a partir de la oración" (Kovacci, 1999: 724).

Los adverbios no sólo actúan dentro del sintagma verbal (SV), como planteaba la gramática tradicional (45) y (46), sino que también tienen funciones no circunstanciales, (47) y (48):

(45) Lucas habló *francamente* en el acto de clausura escolar.
(46) Guido se comportó *caballerosamente.*
(47) *Económicamente,* el país va mejorando.
(48) *Lamentablemente,* todavía hay alto índice de desocupación.

Reconocemos para el adverbio dos funciones:

1. *intraoracional,* en la que actúa dentro del SV como adjunto (45) o bien, cuando está seleccionado por el verbo, también puede ser un complemento (46);
2. *periférica,* en la que puede modificar:
   • al *dictum* o contenido proposicional de toda la oración (47), y
   • al *modus,* es decir, a la modalidad o actitud con que el hablante presenta su enunciado (48).

Para comprobar la diferencia entre ambos tipos, podemos comparar el uso circunstancial de *lamentablemente* en (49a) con su empleo oracional en (49b):

(49) a. Todo terminó *lamentablemente.*
     b. *Lamentablemente,* todo terminó.

2.2.1. EL ADVERBIO COMO MODIFICADOR DENTRO DEL SINTAGMA VERBAL

Los *adverbios* que funcionan dentro del SV se consideran *nucleares.* Como observan Alcina Franch y Blecua (1975: § 4.9.0.2.), dentro de estos adverbios existe un subconjunto que actúa como: a) núcleo modificado por un complemento preposicional encabezado por *de* (50); b) complemento de preposición (51), o modificador de sustantivo (52).

(50) Guido vive muy *lejos de la facultad.*
(51) El robo ocurrió en la casa *de enfrente*
(52) Se alejó *calle arriba.*

El grupo de adverbios que puede construirse con un complemento encabezado por la preposición *de,* como en (50), refiere 'tiempo' o 'lugar' *–encima, delante, debajo, fuera, dentro, antes, después–* y se denominan "preposicionales". Otros adverbios van acompañados de complementos introducidos por una preposición que no es *de,* como *paralelamente a, juntamente con.* Se trata de adverbios que, por ser derivados de adjetivos, heredan el complemento seleccionado por éste (*paralelo a, junto con*).

2.2.2. EL ADVERBIO COMO MODIFICADOR PERIFÉRICO DE LA ORACIÓN

A diferencia de los *nucleares,* que actúan dentro de la órbita del SV, los *periféricos* "pueden vincularse con una oración entera" (Kovacci, 1980-1981, en 1986: 164).

En cuanto a su posición, puede ser inicial, final o entre sujeto y verbo, pero formando grupo fónico,[4] lo que le permite diferenciar cuando se emplean oracionalmente de cuando se encuentran en función circunstancial. Utilizando la fórmula de relieve con *ser* y relativo, Kovacci distingue entre adverbios que cumplen funciones nucleares *–Tocó magistralmente > Es magistralmente como tocó–* y los que realizan funciones periféricas *–Probablemente vendrá hoy > *Es probablemente como...–.* Según ya se dijo, el grupo de los adverbios periféricos está constituido por los externos *al dictum* y los del *modus.*

2.2.2.1. Modificadores del *dictum*

Dentro de los modificadores del *dictum* que afectan la oración en su conjunto, se distinguen:

- *Adverbios nocionales o "de punto de vista",* no omisibles porque su eliminación altera el valor de verdad de la oración *–Culinariamente,* sigue los consejos de su madre ≠ Sigue los consejos de su madre–. Se consideran "limitadores nocionales" porque restringen el alcance con que debe ser interpretado el *dictum* y admiten paráfrasis con *desde el punto de vista* + adjetivo o complemento con sustantivo (Kovacci, 1999: 744) *–Pedagógicamente, el tema está mal planteado = Desde el punto de vista pedagógico / de la pedagogía,* el tema está mal planteado–.
- *Adverbios evaluativos,* que se pueden omitir y entre los que se incluyen adverbios del tipo de *lamentablemente, curiosamente, correctamente, equivocadamente, forzosamente,* etc.

---

4. Grupo fónico, "sílaba o secuencia de sílabas con un acento primario o más de uno" (Kovacci, 1986: 12).

2.2.2.2. Modificadores del *modus*

Los modificadores del *modus* se reorganizan en dos grupos principales:

- *Adverbios de modalidad,*[5] que comprenden los indicadores y reforzadores de actitud, que constituyen marcas de la modalidad dubitativa –*quizás, probablemente* y otros adverbios como *supuestamente, indiscutiblemente, evidentemente*–.
- *Adverbios de enunciación,* que pueden estar orientados:
  - hacia el emisor o receptor –*francamente, honradamente*–;
  - hacia el código (función metalingüística), que sirven al emisor para reorientar la interpretación de un segmento, por ejemplo, *incidentalmente, literalmente, sumariamente, primero,* etc.

Cuando son índices de la modalidad del enunciado, los adverbios del *modus* no son omisibles (53), en cambio, cuando su función es sólo de refuerzo (54), pueden eliminarse.

> (53) *Probablemente / Quizás* Juan no pueda venir para el casamiento de su hermana.
> (54) *Evidentemente,* es un crimen con características pasionales.

Los adverbios modificadores del *modus* admiten la paráfrasis con *ser* + sustantivo o adjetivo de la misma base: *Probablemente Juan no pueda venir para el casamiento de su hermana > Es probable que Juan no pueda venir...*

A pesar de que el adverbio no entra en conexiones sintácticas, algunos adverbios oracionales que manifiestan modalidad desiderativa o dubitativa, como *ojalá, difícilmente* o *seguramente* (= casi seguro) rigen un modo verbal determinado –por ejemplo *ojalá / quizás / tal vez*– y *difícilmente* exigen subjuntivo –*Ojalá / difícilmente Juan venga / *viene temprano hoy*–; mientras que *seguramente* pide indicativo –*Seguramente hoy no *viene / *venga*–.

2.3. Caracterización semántica

Se distinguen dos clases de adverbios en español:

1) *Adverbios léxicos,* que incluyen
- los derivados de adjetivos mediante el agregado del sufijo *-mente: amablemente, simplemente;*
- los adjetivales: *Teresa come sano; Diana jugó limpio;*

---

5. La modalidad, que puede ser afirmativa, dubitativa, exhortativa, desiderativa, etc., se manifiesta mediante distintos recursos, como la entonación; índices léxicos, como los adverbios *ojalá* y *tal vez,* y los diferentes modos verbales.

- los que indican lugar –*arriba, adentro, lejos*–, tiempo –*antes, luego tempra-no*–; modo –*bien, mal*–; o modalidad –*quizá(s), acaso*– (Kovacci 1999, 707).

2) *Adverbios pronominales,* que comprenden:
- espaciales: *aquí, ahí, acá, allá;*
- temporales: *ahora, entonces, hoy;*
- modales: *así;*
- cuantitativos: *tanto, poco, mucho, bastante;*
- numerales: *primero, segundo, medio;*
- de polaridad: *sí, no, también, tampoco;*
- relativos: *donde, quien, cuando;*
- interrogativos o exclamativos: *dónde, cómo.*

3. La preposición

3.1. Una clase atípica

Cuando presentamos los criterios de clasificación (ver supra § 1.3.), anticipamos que la preposición era la clase más conflictiva, en el sentido de que se ha discutido y se sigue discutiendo su carácter de palabra léxica. Si bien aquí se adopta este crite-rio, es necesario aclarar que lo hacemos reconociendo su carácter atípico.

La *preposición*, si bien posee características importantes que hacen que se la considere una clase léxica, también comparte algunas propieda-des de las clases funcionales.

Si en la tradición gramatical se vinculó la preposición sólo con las clases funcio-nales o gramaticales, fue fundamentalmente porque exige un complemento o térmi-no. El hecho de que no funcione en forma independiente constituyó un criterio muy fuerte para no reconocerla como núcleo de un sintagma y, por lo tanto, no conside-rarla léxica. Sin embargo, es necesario advertir que no sólo la preposición exige un complemento, sino que muchos verbos también lo requieren. Por ejemplo, con *te-ner, poner* u otros transitivos no son posibles: **Yo tengo* o *María puso*; excepto co-mo respuesta a una pregunta, que supone un contexto previo en el que ese comple-mento se haya explicitado: *¿Quién puso dinero para la colecta? María puso.* De modo semejante sucede con la preposición: *¿Tomás el café con leche? No, sin.*

Aunque la preposición exija un complemento, esto no es obstáculo para que se la pueda considerar núcleo. Puede serlo en la mayoría de los casos porque tiene un contenido léxico inherente (salvo algunas que, como veremos, se consideran marcas de función). Por ejemplo, *por,* en general, está relacionada con contenidos causales –*Lo hizo por amor*–, así como *para* se relaciona con 'finalidad' –*Lo hizo para ayu-darme*–, *con* se refiere a 'compañía' o 'instrumento' –*Viene con su hermana; Re-corta con tijera*–, *hacia* señala 'dirección' –*Se dirige hacia el río*–, etc.

Las preposiciones tienen un contenido semántico determinado, y es esta carac-terística la que hace que seleccionen un complemento acorde con él –*Salió con un amigo; Viene desde lejos*–, a la vez que rechacen otros –**Viene desde la idea / el* *perfume–*. La carga semántica de la preposición impone una interpretación a su complemento. Así, si decimos *Viene desde la radio*, en función del significado locativo de *desde* el complemento *radio* se entiende no como un nombre de objeto sino como un lugar 'la estación de radio'. Este comportamiento acerca la preposición al verbo, que también selecciona un complemento y le exige una semántica determinada: *Come pan*, pero no **Come vino o mesas*.

Otra característica que también relaciona la preposición con el verbo es que, al igual que éste, exige un caso determinado a su complemento cuando el último se pronominaliza. Así como el verbo pide caso acusativo al pronombre OD *–Yo lo / la / los / las vi–* y dativo al indirecto *–Le / les di mi opinión–*, la preposición rige un tipo especial de caso en el pronombre: prepositivo o terminal, por lo tanto no decimos **Esto es para yo* sino *para mí*.

Además de las características ya mencionadas, que permiten incluir las preposiciones entre las clases léxicas, como ya se ha advertido, esta clase de palabras también presenta algunas propiedades de las funcionales. En primer lugar, su función sintagmática es evidentemente relacional.

> La *preposición* es un elemento de enlace que permite conectar un complemento con un núcleo precedente: *amigo de mi padre*.

Ahora bien, este núcleo, al que el complemento encabezado por la preposición modifica, no sólo puede ser sustantivo *–casa de madera–* sino que puede pertenecer a cualquiera de las clases léxicas que hemos visto: adjetivo *–capaz de todo–*, adverbio *–lejos de casa–*, verbo *–piensa en su familia–* e incluso preposición *–por sobre la ventana; desde entre las sábanas–*.

El carácter de clase léxica de la preposición permite que, al igual que sustantivos, adjetivos, adverbios y verbos, pueda ser modificada por un complemento preposicional, lo que no es posible para una clase funcional, por ejemplo, las conjunciones: **y / o de aquí*.

En segundo lugar, otra característica de las clases funcionales que se le adjudica a la preposición es ser una clase cerrada. Sin embargo, sin que pensemos que se pueden crear preposiciones con la misma facilidad que sustantivos o verbos, la clase presenta cierta apertura. La lista tradicional *de preposiciones del español* incluye diecinueve piezas *–a, ante, bajo, cabe, con, contra, de, desde, en, entre, hacia, hasta, para, por, según, sin, so, sobre, tras–* algunas de las cuales, como *cabe* o *so*, son arcaicas o tienen un uso restringido a ciertos ámbitos, por ejemplo, el jurídico: *so pena de muerte, so pretexto de*.

También se ubican entre las preposiciones formas derivadas de participios presentes, como *mediante* y *durante*, o de participios pasados, como *salvo, excepto* e *incluso*. Estas formas se consideran "preposiciones imperfectas" (Andrés Bello, citado por Di Tullio, 2005: 212) porque no poseen todas las características de la clase, ya que no rigen caso terminal en el pronombre, así no decimos *salvo / incluso mí* (caso terminal), sino *salvo / incluso yo* (caso nominativo).

Además de las mencionadas, Di Tullio (2005) propone considerar dentro de la clase algunas formas adverbiales recategorizadas como *más* y *menos* –*Todos menos Juan / él*– y sustantivos del tipo de *vía, rumbo, camino* –*Viajaron vía Brasil; Van rumbo a España*– cuando, como muestran los ejemplos, van seguidos de un término.

Finalmente, en ciertos usos, que veremos en 3.4, algunas preposiciones aparecen fuertemente gramaticalizadas y con escaso o nulo contenido significativo. Se las denomina "preposiciones vacías" y no determinan la índole categorial del sintagma en el que se encuentran. A semejanza de las clases funcionales, estas preposiciones no se definen por su contenido semántico sino por su función.

3.2. Caracterización morfológica

La preposición es una palabra invariable que no interviene en procesos morfológicos ni manifiesta ninguna variación flexional, si bien rige a su complemento.

3.3. Caracterización sintáctica

Aunque no se emplea independientemente, excepto las que son vacías, las preposiciones son núcleo y determinan la naturaleza (preposicional) del sintagma que conforman junto con el constituyente que les sigue y que funciona como su complemento:

$$[_{SP} [_{NÚCLEO} \ desde] \ [_{COMPLEMENTO} \ la \ ventana.]]$$

A su vez, el conjunto así formado modifica al núcleo precedente que, según vimos, puede ser de cualquier clase categorial:

un **SN** $[_{SN}$ *cuarto* $[_{SP}$ *sin luz*]];
un **SA** $[_{SA}$ *rico* $[_{SP}$ *en amigos*]];
un **SAdv** $[_{SADV}$ *lejos* $[_{SP}$ *de casa*]];
un **SV** $[_{SV}$ *entrar* $[_{SP}$ *en contacto*]];
un **SP** $[_{SP}$ *hasta* $[_{SP}$ *en la sopa*]].

Además, cuando el complemento es una forma pronominal, la preposición le impone la marca flexiva de caso. El caso exigido es el prepositivo o terminal –*sin mí; para sí*–.

3.4. Caracterización semántica: preposiciones plenas, semiplenas y vacías

El carácter de clase léxica de la preposición no siempre ha sido reconocido y esto se debe a que no todas tienen pleno significado. Desde este punto de vista distinguimos entre:

- *Preposiciones plenas*, con contenido significativo inherente, que transmiten al sintagma del que son núcleo; por ejemplo, en *saltó desde la cima*, *desde* manifiesta valor locativo de 'origen'; en *llora por tristeza*, *por* señala 'causa', y en *llegó durante la noche*, *durante* indica 'transcurso'.
- *Preposiciones semiplenas*, que introducen el complemento régimen. Tienen un contenido semántico no demasiado específico, pero son ésas y no otras las que el verbo exige[6] –*pensar **en**, depender **de**, atreverse **a**,* etc.–
- *Preposiciones "vacías" o gramaticalizadas*, cuya función es semejante a la de las desinencias flexionales de caso en las lenguas que manifiestan morfológicamente esta categoría. Se desempeñan como *marcas de función sintáctica* y no se las considera núcleo, ya que no conforman verdaderos sintagmas preposicionales (Demonte, 1991: 223).

Compárese por ejemplo (55a) y (55b) en latín y en español:

(55) a. <u>Pater</u> amat = El <u>padre</u> ama.
  b. Amo <u>pat**rem**</u> = Amo **a** mi <u>padre</u>.

En (55b) del latín, la desinencia indica que *pat**rem*** desempeña, no la función de sujeto como en (55a), sino que es OD de *amat*; en español, dado que la forma de la palabra –*padre*– no varía, la preposición *a* es la encargada de señalar en (55b) su función sintáctica de objeto de *amar*.

Las *preposiciones vacías o gramaticalizadas* son las que sirven para marcar una determinada función o relación sintáctica. Si decimos *Compré pan* o *Leí un libro*, estos objetos directos de cosa no necesitan de ninguna marca que los señale.

El español pide como marca la preposición *a* cuando se trata de objetos directos animados, sobre todo si son específicos. En los casos de inespecificidad a veces puede ir sin la marca de función, como en *Busco secretario* (= uno cualquiera) frente a *Busco a un secretario* (= uno en particular). El carácter vacío de la preposición *a* que introduce el OD se puede contrastar con su empleo como preposición plena en *Voy a la escuela*, donde tiene un claro valor locativo direccional.

Según vemos, entonces, la misma preposición puede tener un valor más o menos gramaticalizado, según el uso. Además de la *a* del OD (56),[7] también son marcas de función las preposiciones que introducen el sujeto del infinitivo nominal (57) y las que señalan el sujeto (58) o el objeto de las nominalizaciones (59):

(56) Veo *al* enemigo en la otra orilla.

---

6. Algunos verbos alternan la preposición en el complemento régimen, pero no aceptan cualquiera, por ejemplo, es posible *participar de* o *en algo*, pero no *desde* ni *hasta*, e igualmente *preocuparse de* o *por algo*, pero no *a* ni *hacia*.

7. En el OI, en el que no contrasta con una transformación funcional en la que desaparece, la preposición *a* "tiene un estatuto mixto y problemático. Y [...] puede actuar a la vez como preposición y como simple marcador de caso" (Demonte, 1991: 224).

(57) El sufrir *de* Ernesto (= Ernesto sufre) me desespera.
(58) La invasión *de* los romanos a la Galia (= Los romanos invadieron la Galia).
(59) La destrucción *de* las Torres Gemelas asombró al mundo (= Destruyeron las Torres Gemelas).

En los ejemplos anteriores, la preposición, que no está exigida por un verbo determinado como en el complemento régimen sino que es siempre la misma para cada función –*a* para OD de un verbo finito, *de* para el sujeto del infinitivo y en las nominalizaciones–, tiene un valor semántico nulo. Su carácter puramente funcional puede comprobarse porque, cuando el sintagma cambia de función, la preposición no se mantiene: *El enemigo es visto; Ernesto sufre; Los romanos invadieron la Galia; Un atentado destruyó las Torres Gemelas.*

La preposición del complemento agente, si bien es marca de función y desaparece cuando la oración se convierte en activa –*La ciudad fue devastada **por** las tropas / Las tropas devastaron la ciudad*–, no puede considerarse semánticamente vacía, ya que señala al agente o causa del evento. Por lo tanto, esta preposición posee un status mixto.

4. Aspectos didácticos

El conocimiento acerca de las diferentes clases de palabras que acabamos de ver nos informa sobre los requerimientos de formación y de combinación de cada clase, por ejemplo, las relaciones de concordancia usuales entre verbo y sujeto, del tipo de *El chico corre,* y también casos especiales como *Los muchachos estudiamos mucho para los exámenes,* cuando el hablante se incluye en el grupo mencionado por el sujeto plural. También resulta importante considerar exigencias debidas a la rección, particularmente en relación con la preposición que exige al pronombre el caso terminal o prepositivo –*para mí / para ti*[8] */ para sí*– y con ciertos adverbios que exigen en el verbo un modo determinado: *ojalá llueva* (el adverbio *ojalá* exige al verbo el modo subjuntivo).

Asimismo, para algunas clases de palabras, como las preposiciones y algunos verbos transitivos, es necesario tener en cuenta que no pueden funcionar solas y exigen un nombre que actúe como su complemento: *sin azúcar / miedo*; *contar un cuento / la verdad* (cf. *trabajar, comer, pintar*).

El dominio de estas relaciones sin duda colaborará para evitar errores comunes, por ejemplo, *Le di un regalo a los chicos,* donde el pronombre *le* no reproduce el plural del OI *a los chicos* en vez de *Les di un regalo a los chicos* o *Se vende casas,* donde no hay concordancia entre verbo y sujeto, por *Se venden casas.*

Desde la perspectiva sintáctica, también resulta importante distinguir entre elementos obligatorios y opcionales, como los adjuntos del verbo, frente a los elemen-

---

8. En el dialecto rioplatense, dada la generalización del voseo, para la segunda persona después de preposición se utiliza la forma vos, que coincide con el caso nominativo: *para vos.*

tos seleccionados, que no se pueden omitir sin dejar incompleta la estructura: *Dice a mi madre; *No es capaz de aliviar (en estos ejemplos, falta el objeto). Este tipo de ejemplo, por extraños que parezcan fuera de contexto, suelen ser comunes en textos reformulados o producidos por estudiantes. Los siguientes son algunos casos de construcciones anómalas de este tipo extraídas de un corpus de estudiantes de nivel medio del conurbano bonaerense: *Esto hizo que el valor de las tierras se repercutiera* (falso reflexivo), *Estas transformaciones formó un cambio de ámbitos sociales* (falta de concordancia sujeto-verbo), *Impusieron los conflictos* (semánticamente anómala porque el texto no permite identificar al sujeto), *Un Estado capaz de mitigar* (falta de OD).

En suma, las cuestiones relativas a las clases de palabras no son pertinentes sólo para la gramática sino que inciden directamente en el uso de la lengua y su desconocimiento está en la base de muchos errores comunes de los estudiantes, por lo que estas nociones, según creemos, son de suma utilidad para mejorar la producción de textos en los diferentes ciclos de escolarización.

Asimismo, para que la articulación de los distintos elementos pueda avanzar desde la conformación de las unidades intermedias, como los sintagmas, a unidades mayores como la oración y el texto, es necesario que también nos ocupemos de las palabras que hacen posible el enlace y la actualización de los distintos elementos: es decir, de las palabras funcionales, que trataremos en el próximo capítulo.

Capítulo 4

Clases de palabras funcionales:
determinativos y conjunciones

1. ¿Qué son las palabras funcionales?

¿Cuál es el significado de *y*? ¿Y el del artículo *el*? Si bien podemos apelar a rasgos generales de significación, como 'unión', en el caso de *y*, o 'definitud' para el determinante, indudablemente este tipo de palabras se define fundamentalmente por la función que cumplen en la oración. Así *y* es una partícula de enlace y *el* es un artículo definido que sirve para dar referencialidad al sustantivo al que acompaña, del cual, además, proporciona el género y el número: *el piano, las computadoras.*

> Las *palabras funcionales* tienen un significado fundamentalmente gramatical que se precisa en su relación con otra(s) palabra(s) de la(s) que transmiten información categorial (género, número, cantidad, persona, etc.) o entre la(s) que establecen conexiones sintácticas.

Mientras las palabras de las clases léxicas como *perro, lindo o correr* tienen un contenido léxico que cualquier hablante interpreta independientemente, tanto de la situación comunicativa como del contexto discursivo, las funcionales, como *y, pero, ese o poco,* no tienen pleno significado fuera de su función relacional: conectiva, en el caso de las dos primeras, y especificativa, para las segundas. Así, en *el árbol,* el artículo *el* especifica las categorías gramaticales de género y número inherentes del sustantivo *árbol;* en *gatos y perros,* el coordinante *y* conecta los dos sustantivos.

No obstante, es necesario aclarar, aunque se verá más adelante, que algunas palabras funcionales, las que tienen naturaleza pronominal,[1] también pueden emplearse solas y no en relación con otras. En estos casos se desempeñan como clases léxi-

---

1. Los pronombres son palabras cuya "interpretación depende de circunstancias relacionadas con el contexto en que se emite el enunciado" (Rodríguez Ramalle, 2005: 107). Este contexto dentro del cual se interpretan puede ser tanto la situación comunicativa como el hilo del discurso.

cas, por ejemplo en *Vinieron pocos*, *pocos* es el núcleo del sujeto, por lo tanto, funciona como sustantivo; en *El libro azul es mío*, *mío* actúa como un adjetivo núcleo del predicativo; y en *Sale poco*, al ser núcleo de un adjunto circunstancial, *poco* se desempeña como adverbio.

Para el español reconocemos dos clases funcionales principales:

> *Det.* = determinativo
> *Conj.* = conjunción

Morfológicamente, se presenta una partición semejante a la que hallamos en las clases léxicas, ya que los determinativos, que pueden manifestar categorías morfológicas y conexiones sintácticas, son palabras variables, pero las conjunciones, tanto coordinantes como subordinantes, son invariables.

2. El determinativo

> Los *determinativos* se definen por su relación con otra u otras palabras de las que determinan su alcance al indicar "cuáles o cuántos de los elementos incluidos en la clase denotada [...] se deben considerar" (Rodríguez Ramalle, 2005: 93).

La función de los determinativos es de "actualización", que consiste en señalar que una categoría que denota una clase pasa a funcionar como una expresión referencial para nombrar entidades particulares.

Según Coseriu (1962: 295-29):

> ...los nombres que integran el saber lingüístico no son "actuales", sino "virtuales"; no significan "objetos", sino "conceptos". Por lo tanto [...] la actualización es la operación mediante la que el significado nominal se transfiere de la "esencia" (identidad) a la "existencia" (ipsidad) y por la cual el nombre de un "ser" (por ejemplo, *hombre*) se vuelve denotación de un "ente" (por ejemplo, *el hombre*).

Para realizar la función de actualización, los determinativos se valen de dos mecanismos: determinación y cuantificación, por lo que se reconocen dos subclases:

1) *determinantes*;
2) *cuantificadores*.[2]

Por su posibilidad de modificar al sustantivo, los determinativos han sido tradicionalmente incluidos con el adjetivo, sin embargo, tanto desde el punto de vista de

---

2. Para un análisis más detallado de ambas subclases de determinativos, se puede consultar Albano y Giammatteo (2001).

su posición como de sus posibilidades combinatorias y propiedades semánticas, como iremos mostrando en los siguientes apartados, se trata de clases diferentes.

2.1. Caracterización morfológica

Dentro de las dos subclases de determinativos, hay formas que pueden manifestar las categorías nominales de *género*, incluido el neutro *–esto / -a / -e /* , *algún / -a / -o–* y de *número –mi / -s, todo / -s–*. Los determinantes, excepto el artículo, se relacionan con la categoría de persona, indicando cercanía al hablante *–este–*, al oyente *–ese–* o distancia respecto de ambos *–aquel–*; o bien pertenencia a las distintas personas del coloquio *–mi / tu / su–*.

2.2. Caracterización sintáctica

En el sintagma, los determinativos brindan información categorial respecto de otra u otras palabras, que pueden ser:

- sustantivos: *una / mi / esta* casa;
- adjetivos: *muy / poco* lindo, y
- adverbios: *muy / bastante* bien.

Los determinativos se diferencian de los adjetivos; éstos tienen más libertad de colocación porque pueden posponerse o anteponerse al nombre al que se refieren. En cambio, la posición habitual para los determinativos es prenominal (Hernanz y Brucart, 1987: 173).

(1) *El hermoso* coche *rojo.*

Incluso algunos determinativos, como el artículo definido *–el / la / lo / los / las–*, el indefinido *–un / una–* y el distributivo *cada* sólo pueden ocupar posición prenuclear:

(2) *Aquellos* muchachos.
(3) *El / un / cada* chico de mi barrio.

En casos como *El chico éste* o *Este coche mío,* en los que el demostrativo o el posesivo van pospuestos, se considera que el determinativo funciona como "simple adjetivo" (Hernanz y Brucart, 1987; Coseriu, 1962; Rodríguez Ramalle, 2005).

El argumento más fuerte para establecer que los determinativos constituyen una clase de palabras aparte es que, a diferencia de los adjetivos, no son opcionales:

(4) (Enormes) elefantes avanzan por la sabana.
(5) *Perro que me regalaron es un afgano.

Los determinativos son exigidos por los sustantivos contables en singular para funcionar como sujetos en posición preverbal.

Dentro de los determinativos, algunos constituyen un paradigma restringido (Hernanz y Brucart, 1987: 174) o clase distribucional (Radford, 1997: § 2.4), de formas que alternan con el artículo cuando éste acompaña al sustantivo que funciona como sujeto en posición inicial. Pueden desempeñar esta función:

- los posesivos;
- los demostrativos;
- algunos cuantificadores, especialmente los numerales cardinales y los indefinidos.

Las formas de este paradigma se diferencian de los verdaderos adjetivos, aun aquellos que sólo pueden ir prenominalmente, porque éstos siempre exigen la presencia del artículo (Hernanz y Brucart, 1987: 177) (6) y (7) y aquellas, no (8) y (9):

(6) El *hermoso tercer* auto / *hermoso tercer* auto.

(7) El *mismo / propio / mero* asunto / **mismo / propio / mero* asunto.

(8) *El / su / éste / algún / otro / cada / todo* auto mal estacionado será removido del lugar.

(9) *Muchos / dos / bastantes* autos se vendieron en esa concesionaria.

Las posibilidades de construcción también permiten diferenciar el comportamiento de los numerales cardinales, que en plural alternan con el artículo (10), de los ordinales que, tanto en singular como en plural, requieren su presencia (11) y (12):

(10) *Los / Cuatro* profesores asistieron a la conferencia.

(11) **Tercer* auto está mal estacionado / *El tercer* auto...

(12) **Quintos* cursos tienen muy buen comportamiento / *Los quintos* cursos...

Si bien algunos determinantes y cuantificadores pueden acumularse, en general esta posibilidad es mucho más limitada que en los adjetivos:

(13) Me regalaron una *finísima* cartera *marrón italiana*.

(14) *El otro* libro / *Algún otro* pasajero / *Todos mis* amigos.

Las posibilidades de coaparición entre las distintas formas están sujetas al denominado "efecto de definitud o especificidad", por el cual el sujeto de un verbo existencial, como *haber*, nunca puede responder a una descripción definida o específica. Según puedan o no funcionar en esa posición, los determinativos se distribuyen en dos grupos:

1) *fuertes o universales:* Hay (unos, tres, algunos, muchos, varios, otros, ciertos).

2) *débiles o existenciales:* *Hay (los, mis, estos, todos, ambos, cualquiera, los tres, cada) (Rodríguez Ramalle, 2005: 113).

Los *determinativos fuertes*, que responden positivamente a la prueba anterior, son los que involucran a la totalidad de elementos de un conjunto, por ejemplo, una expresión como *tus camisas,* a la vez que hace referencia a todas las que pertenecen al oyente (*tus camisas,* pero no *mis camisas*), restringe los elementos de la clase designada a un conjunto determinado (*tus camisas,* pero no *tus pantalones*).

Los *débiles o existenciales* no hacen mención a la totalidad de miembros de un conjunto sino que se limitan a identificar una cantidad, sin señalar cuántos representan del total –*unos / muchos / ciertos libros*–. Estos determinativos no dan lugar al denominado efecto de familiaridad, que caracteriza a los fuertes (Escandell, 2004, citado por Rodríguez Ramalle, 2005: 113), como puede comprobarse comparando *los chicos / mis amigos / estos libros* con *algunos chicos / varios amigos / ciertos libros.*

La aparición de los determinativos fuertes tiene restricciones y responde a una jerarquía por la que es posible decir *el / ese / mi* libro, pero no **el tu* libro / **la esa* casa / ** ese mi* auto.

Por su parte, el determinativo *todos* recibe la denominación de predeterminante porque suele anteponerse a los demás: *Todos los / mis / estos libros.*

Para la combinación entre determinativos fuertes y débiles, la jerarquía exige que los fuertes vayan en primer lugar:

[Todos [los / mis / estos] [tres / muchos / otros] libros [ejemplo (23) de Rodríguez Ramalle, 2005: 114).

2.3. Caracterización semántica

Desde la perspectiva semántica, los determinativos se diferencian de los adjetivos en que, como constituyen una categoría léxica, tienen un uso más restringido que el de los determinativos, que carecen de contenido descriptivo específico.

Por ejemplo, adjetivos como *capaz* o *haragán* pueden modificar a sustantivos como *hombre / empleado / alumno capaz / haragán,* pero no son aplicables a otros como **tomate / pan / helecho / escritorio / dolor / capaz / haragán.* Los determinativos, en cambio, no tienen estas restricciones y pueden modificar a cualquier sustantivo: *el / ese / algún / otro hombre / empleado / alumno / tomate / pan / helecho / dolor* (Radford, 1997: § 2.4).

Desde el punto de vista funcional,

- Los determinativos débiles sirven para introducir entidades nuevas en el discurso: *Entró un hombre al bar / Encontré algunos viejos libros en la biblioteca.*
- Los determinativos fuertes permiten hacer mención a:
  - entidades conocidas previamente;
  - por conocimiento de mundo: *El Louvre es un museo importantísimo;*
  - por contexto de situación: *Ese florero está roto (ese* se refiere a un objeto presente en el lugar donde se desarrolla la comunicación);

- entidades ya mencionadas en el discurso: *Un chico andaba dando vueltas por el potrero. De repente, llegó la policía, disparó y el chico salió corriendo.*

2.3.1. Subclases

2.3.1.1. Determinantes

El *artículo*, que es "el actualizador por excelencia" (Coseriu, 1962: 294), es el prototipo de todos los determinantes puesto que permite el pasaje de lo virtual a lo real, aunque no implica ni localización ni cuantificación. Las otras dos subclases de determinantes: *posesivos y demostrativos*, se encuentran en distribución complementaria con el artículo: *El / ese / mi amigo*.

En el estado actual del español, no es posible la acumulación de determinativos: –*El tu amigo*–, aunque es factible su empleo desglosado –*El libro mío / Ese auto suyo*–. En este desglose, si está presente, el artículo ocupa siempre la primera posición; pero cuando se trata de un posesivo y un demostrativo, el primero no puede ocupar posición prenominal: *Mi libro ese*.

En ciertos contextos, el artículo puede tener sentido genérico (15). Sus otros usos dependen, o bien de elementos contextuales que restringen las posibilidades del nombre, como en (16), o que inducen una interpretación anafórica, como en (17), o bien del contexto situacional que, como en (18), impone una lectura deíctica:

(15) *El* perro es un animal doméstico.

(16) *El* perro de mi amigo me mordió / *El* perro *ese / suyo /* que le regalaron / ...

(17) Me regalaron un libro. *El* libro me gustó mucho.

(18) Dejá las fotos sobre *la* mesa (= *esa* mesa).

Los *demostrativos* aportan información espacio-temporal sobre el referente: *este hombre*. Dada su estrecha vinculación con la situación comunicativa, se consideran más marcados que el artículo, por lo que su uso es más limitado y no pueden emplearse con valor genérico.

Los *posesivos* aportan información sobre la pertenencia de las entidades mencionadas. En español se prefiere el artículo al posesivo con referencia a lo que se denomina "posesión inalienable", es decir, todo lo comprendido en la esfera personal, como las partes del cuerpo, las prendas y utensilios cotidianos o las partes de objetos. Por lo tanto, no utilizamos el posesivo en expresiones como *Tengo un problema en los ojos o la vista. Se rompió la perilla de la estufa.* El uso del posesivo en estos casos se considera un recurso estilístico de énfasis: *Lo vi con mis (propios) ojos. Lo hizo con sus manos laboriosas.*

2.3.1.2. Cuantificadores

La cuantificación es la operación que permite pasar de la universalidad a la particularidad e incluso a la singularidad (Coseriu, 1962: 304).

Los *cuantificadores un, cinco, todo, algunos, poco,* etc., denotan 'cantidad' en forma:

* **definida:** *Vinieron ocho personas;*
* **indefinida:** *Algunas personas faltaron.*

Las posibilidades combinatorias de los cuantificadores son las siguientes:

– Los *cuantificadores fuertes,* que alternan con el artículo, pueden referirse tanto a sustantivos contables como incontables, en singular y plural (los que permiten variación en número) (19). Los incontables no aceptan una lectura individualizadora (20), sino referida a tipo o clase (21)-(22).

> (19) Sg. *Un / algún / cierto / ningún / cualquier / otro / cada / todo* libro.
> *Una / alguna / cierta / ninguna / cualquier / otra / cada / toda* harina.
> Pl. *Unos / algunos / ciertos / otros* libros.
> *Unas / algunas / ciertas / otras /* harinas.
> (20) Cayó harina en el piso / *Cayó *una* harina en el piso.
> (21) Compraron *una* harina muy buena de Córdoba.
> (22) *Cualquier* aceite le hace mal al estómago.

– Los *cuantificadores débiles* se distinguen de los anteriores porque en singular sólo pueden anteponerse a sustantivos incontables (23). En plural, su comportamiento es semejante al de los fuertes y pueden anteponerse tanto a sustantivos contables (24) como a incontables, que adoptan una lectura de clase (25):

> (23) Hay *poca / mucha / bastante / suficiente / demasiada / tanta* leche en la heladera.
> (24) *Pocas* palabras bastan a buen entendedor.
> (25) *Muchos* vinos se venden actualmente al exterior.

Los cuantificadores de este segundo grupo, inmovilizados en número, son los que pueden usarse adverbialmente.

> (26) Trabaja *poco / mucho / bastante...*

3. La conjunción

La *conjunción* es la clase de palabra que tiene la función gramatical de conectar sintácticamente distintos elementos.

Según como sea la relación que la conjunción establece entre los miembros que une, se reconocen dos tipos:

1) *coordinantes;*
2) *subordinantes.*

Si bien ambas subclases comparten la función general de conexión, las características específicas de cada una de ellas hacen que las tratemos separadamente.

3.1. La conjunción coordinante

3.1.1. CARACTERIZACIÓN MORFOLÓGICA

Los coordinantes son palabras invariables.

3.1.2. CARACTERIZACIÓN SINTÁCTICA

> Las *conjunciones coordinantes* son elementos funcionales que relacionan constituyentes del mismo nivel jerárquico –*gatos y perros, salta pero no vuela*– y no quedan incluidos en los miembros que unen, que están en relación "constelación", es decir que ninguno presupone la existencia del otro.

Por lo general, los constituyentes pertenecen a la misma categoría, de manera que se pueden relacionar palabras (27), sintagmas (28) u oraciones (29):

(27) Juana suele estar cansada *o* aburrida.
(28) Es traductora *de inglés y de francés.*
(29) Juan llegó a la cima del cerro, *pero* Lucas se quedó en el primer refugio.

En (27), la *o* une dos adjetivos; en (28), *y* conecta dos sintagmas preposicionales, y en (29), *pero* coordina dos estructuras predicativas.

A pesar de que, en general, las conjunciones coordinantes relacionan constituyentes de la misma categoría, la coordinación también "puede ser heterocategorial" (Di Tullio, 2005: 271), por lo que pueden establecerse relaciones entre componentes de categorías diferentes pero funcionalmente equivalentes, por ejemplo, entre SA y SP (30); SADV y SP (31) y SN y una estructura predicativa (32):

(30) Es *baja, pero de fuerte contextura.*
(31) Llegó *rápidamente y con muy buena disposición.*
(32) Me conmovieron su lamentable estado físico y el que no tenga vivienda.

Los coordinantes, que tienen posición fija entre los constituyentes que unen, no pueden desplazarse ni tampoco acumularse entre sí.

(33) *Iremos al cine, a bailar *y*
(34) *Van a volver en auto *y pero* no temprano.

Las características anteriores diferencian las conjunciones coordinantes de otros conectores de coordinación, que tienen desplazamiento y pueden combinarse con las conjunciones. Se distingue entre:

- *reforzadores:* que son de la misma clase semántica del coordinante al que se unen: *y también; y además* (son todos copulativos e indican "unión") (35), y
- *matizadores,* cuya clase semántica es diferente de la del coordinante: *pero además* (*pero* es adversativo –indica "contraposición"–, *además,* copulativo), *y sin embargo* (*y* es copulativo; *sin embargo,* adversativo) (36):

(35) Iremos al cine *y también* a bailar / *y* a bailar *también.*
(36) Van a volver en auto, *pero además* temprano / *y* temprano *sin embargo.*

3.1.3. CARACTERIZACIÓN SEMÁNTICA

Las conjunciones coordinantes agotan su significado fundamentalmente relacional en la función que cumplen. Se reconocen varias subclases, como:

- **copulativas:** *y (e), ni, tanto... como, no solo... sino también;*
- **disyuntivas:** *o (u), o bien, ya... ya, ora... ora;*
- **adversativas:** *pero, sino, mas;*
- **consecutivas:** *así que, luego, con que, de modo que.*

Según Kovacci (1992: 233), cada una de las subclases puede ser definida por un conjunto de rasgos que permiten dar cuenta de cómo interpretar la información que transmiten los constituyentes coordinados:

	y	*ni*	*o*	*pero*	*sino*	*así que*
'conexión'	+	+	+	+	+	+
'contraposición'	–	–	–	+	+	–
'alternativa'	–	–	+	–	–	–
'consecuencia'	–	–	–	–	–	+
'polaridad negativa'	–	+	–	–	+	–

Los ejemplos (37) y (38) permiten corroborar la diferencia semántica entre constituyentes, según se emplee un conector o el otro:

(37) María baila danzas árabes *y* su esposo enseña tango.
(38) María baila danzas árabes *pero* su esposo enseña tango.

Respecto del coordinante *y* cabe señalar que, como es el menos marcado de los conectores, puede ser empleado en sustitución de otros. En esos casos, *y* añade a su rasgo de 'adición' otros matices que le impone el contexto:

(39) Julia se cayó *y* (= así que) se torció el pie.

Cuando *y* relaciona elementos iguales, establece una *coordinación intensificadora*. La repetición de elementos coordinados tiene valor enfático, por lo que admite la paráfrasis con el cuantificador *mucho*.

(40) Sobre su escritorio hay carpetas y carpetas y carpetas.
(41) Sobre el escritorio hay *muchas / muchísimas* carpetas.

La *coordinación disyuntiva* presenta tres posibilidades de interpretación:

1) *"verdadera" o excluyente*, que es la no marcada, y a través de la que se opta por sólo uno de los constituyentes: *Como tenemos poco dinero no sé si comprar una computadora o varios grabadores;*
2) *disyuntiva-copulativa*, en la que *o* equivale a *y*: *Ernesto Sábato, Abelardo Castillo o Ricardo Piglia son escritores argentinos contemporáneos;*
3) *disyuntiva de equivalencia*, en la que el coordinante se puede conmutar por *es decir* u *o sea* –*durazno o melocotón; yuca o mandioca*–. En esta última ambos constituyentes se pueden poner en aposición: *La yuca –la mandioca– es un alimento de mucho valor vitamínico.*

En cuanto a la *coordinación adversativa*, que relaciona sólo dos constituyentes, pueden distinguirse dos subtipos:

1) *restrictiva* con *pero*, en la que el segundo miembro restringe el alcance del primero: *Es una casa pequeña, pero muy cómoda;*
2) *exclusiva* con *sino*, que descarta el contenido del primer constituyente y sólo afirma el segundo. Por eso *sino* es correlativo de un elemento de negación que aparece en el primer constituyente: *No es una persona antipática, sino muy seria.*

En la *coordinación consecutiva*, que también coordina sólo dos constituyentes, el segundo señala la consecuencia, el efecto o la inferencia extraída de lo dicho en el primero: *Luisa cumple años, por lo tanto le haremos una reunión.*

3.2. La conjunción subordinante

> Las *conjunciones subordinantes* incluyen una estructura predicativa –denominada proposición incluida–,[3] en otra, que es la oración principal o matriz.

---

3. Las proposiciones incluidas son estructuras predicativas sin independencia sintáctica, con distinto grado de vinculación o subordinación respecto de la oración matriz o principal. Pueden

La conjunción subordinante forma parte de la proposición que introduce, en la que ocupa la posición inicial, como (42) y (43):

(42) No sabe [*que* Dante se va a casar con Elisa].
(43) Me preguntó [*si* Dante se va a casar con Elisa].

Los *coordinantes extraoracionales* pueden encabezar oraciones: *Pero todos creíamos que irías a la fiesta*; *Por lo tanto, no le entregaron el coche nuevo*. En cambio, si un subordinante introduce una oración, ésta sólo puede ser interpretada como una estructura dependiente del contexto lingüístico situacional o discursivo:

(44) A. –¿ Por qué no fuiste a la fiesta?
B. –(No fui a la fiesta) Porque no me sentía bien.

Mientras dos coordinantes no pueden aparecer seguidos –*Es elegante y pero muy baja* –, dos subordinantes pueden coaparecer, si no pertenecen al mismo nivel jerárquico de subordinación: *Me dijo que, cuando se reciba, va a solicitar una beca*. La selección del coordinante depende de la relación semántica que se quiere establecer entre los constituyentes, en cambio, el contraste entre los subordinantes *que / si* está determinado por el carácter declarativo o interrogativo de la proposición que introducen (ver supra ejemplos [42] y [43]). Esto confirma la relación más estrecha que se establece entre subordinante y subordinado, frente a la simple coexistencia entre miembros coordinados. No obstante, como bien señala Di Tullio (2005: 275), no siempre son nítidas las diferencias entre coordinación y subordinación. Tal es el caso del nexo causal *pues* y los consecutivos *conque* y *así que*, a los que algunos autores asignan valor de coordinantes, mientras que otros los consideran cercanos a los subordinantes, entre los que los incluyen.

3.2.1. CARACTERIZACIÓN MORFOLÓGICA

Al igual que los coordinantes, las conjunciones subordinantes son palabras invariables. Sin embargo algunas, las de naturaleza pronominal o conjunciones subordinantes relativas, pueden flexionar en número y/o en género: *quien / quienes*; *cuyo / a / os / as*. La forma *que* invariable manifiesta género y número a través del artículo –*el / la / lo / los / las que*–; igualmente *cual,* que sólo flexiona en número: *el / la cual / los / las cuales*).

3.2.2. CARACTERIZACIÓN SINTÁCTICA

Los subordinantes introducen proposiciones incluidas que pueden cumplir funciones:

---

estar introducidas por un encabezador –un pronombre relativo o un subordinante– o pueden articularse sin encabezador. Teniendo en cuenta criterios funcionales y de estructura interna se pueden distinguir tres grandes clases de proposiciones: sustantivas, adjetivas y adverbiales.

- *nucleares,* es decir, dentro de la oración principal o matriz, como sujeto, objeto directo, circunstancial, *etc.*
- *periféricas,* porque al igual que ciertos adverbios (ver supra 2.2.2.), modifican o bien a toda la oración (*dictum*) o a la modalidad (*modus*).

En (45), por ejemplo, la proposición *que ganó la beca,* que se inicia con la conjunción subordinante *que,* funciona como OD del núcleo verbal *comunicó;* asimismo en (46), la conjunción subordinante *porque* introduce una estructura incluida que funciona como adjunto circunstancial de causa del verbo *asistió:*

(45) Me comunicó [*que* ganó la beca].
(46) No asistió a la reunión [*porque* está de vacaciones].

En cambio, en (47), la estructura que el subordinante *aunque* introduce –*Aunque conocían el camino*– no modifica sólo al verbo sino a la oración en su conjunto. Es, pues, un modificador de toda la oración o modificador oracional. En (48), la proposición *Si mal no recuerdo* manifiesta la actitud del hablante respecto del contenido de la oración principal, ya que se refiere a un verbo de "habla" implícito: *Si mal no recuerdo, afirmo que ése es Pedro.*

(47) *Aunque* conocían el camino, se perdieron.
(48) *Si* mal no recuerdo, ése es Pedro.

3.2.2.1. Conjunciones subordinantes relativas

> Las *conjunciones subordinantes relativas,* como *que, el que,*[4] *quien, cual, cuyo, donde, cuando, como, cuanto,* que son de naturaleza pronominal, además de incluir una proposición en la oración, tienen en ella una función sintáctica determinada.

Así, el comportamiento de las conjunciones relativas se asemeja al de algunos de los determinativos ya estudiados. Según ya vimos (ver supra 2.3.), estas palabras, también de naturaleza pronominal, se desempeñan como funcionales cuando se refieren a otras palabras a las que determinan, pero cuando se emplean solas actúan como sustantivos, adjetivos o adverbios, es decir, como palabras léxicas.

Las conjunciones subordinantes relativas también pueden actuar como palabras funcionales y como palabras léxicas, o como dos clases funcionales diferentes (como veremos más adelante, en el caso de *cuyo* y en algunos usos de *cuanto*), pero de modo simultáneo.

---

4. Respecto de los relativos con artículo, existen diversas interpretaciones, como la de Bello, que considera el artículo como el núcleo de la construcción. Para una exposición sintética de las posturas al respecto, véase Di Tullio, 2005: 324-325. Dentro del carácter general e introductorio del presente trabajo, seguimos a Bosque (1991: 188). quien retomando la tradición gramatical, considera ambos elementos como un relativo complejo, ya que se trata de una unidad léxica "que no se puede segmentar": *La [[que buscas] y [que anhelas]].

(49) El libro [*que* me prestó Juan] me sirvió para estudiar algunos temas del curso.
(50) El salón [*donde* se dictan las clases] es poco luminoso.

En (49), por ejemplo, el relativo *que*, por un lado, se comporta como una conjunción subordinante que introduce la proposición incluida *que me prestó Juan* y, por otro, dentro de la proposición es OD del verbo *prestó*, ya que reemplaza a *libro*, al cual remite anafóricamente,[5] por lo tanto funciona como un sustantivo. Asimismo, *donde*, en (50), es la conjunción subordinante que articula la proposición y, además, funciona como la clase léxica adverbio que, dentro de la proposición, es adjunto circunstancial de lugar del verbo *se dictan*. Según se advierte, este *que* relativo que aparece en (49) es diferente del *que* subordinante de (42), que es un elemento externo a la proposición que sólo funciona como introductor, pero no cumple en ella ninguna función.

En suma, las conjunciones relativas presentan dos niveles de funcionamiento simultáneos, puesto que cumplen una *función en la oración* como conjunciones subordinantes, y, además, tienen *función en la proposición*, según la cual pueden actuar como otras clases de palabras. Así, en los ejemplos presentados más arriba, *que* y *donde* funcionan como clases léxicas, *que* como sustantivo (49) y *donde* como adverbio (50). Según veremos en (51), el caso de *cuyo* es un poco más complejo:

(51) Leímos una novela [*cuyos* personajes eran alegóricos].

Además de conjunción subordinante que introduce la proposición incluida –*cuyos personajes eran alegóricos*–, dentro de la proposición, *cuyo*, que es la variante relativa del determinante posesivo *su* (*cuyos* personajes = los personajes de la novela / *sus* personajes), es especificador del sustantivo *personajes*, con el que concuerda en género y número. En consecuencia, *cuyo* funciona en la oración como la clase funcional conjunción subordinante porque introduce la proposición, pero dentro de ella cumple función de determinativo.

El relativo *cuanto*, por su parte, siempre tiene la función oracional de conjunción subordinante; pero, en la proposición, según los casos, puede comportarse como sustantivo (52) o como cuantificador (53):

(52) Compró cuanto le ofrecieron.
(53) Rechazó cuanto ofrecimiento le hicieron.

Algunos relativos, por ejemplo, *quien, el que, cuanto, donde, como, cuando y cuanto*, también pueden construirse sin un antecedente:

---

5. La referencia textual puede ser anafórica –referida al texto precedente, como en (139)– o catafórica –si remite al texto siguiente, por ejemplo el demostrativo *eso* en *Me dijo eso: que no vendría esta noche* (Halliday y Hasan, 1977: 33).

(54) *Quien* te lo dijo, te mintió.
(55) *Cuando* vuelvas, llamame por teléfono.

3.2.3. CARACTERIZACIÓN SEMÁNTICA

Desde el punto de vista semántico, dentro de las conjunciones subordinantes *que* es la más vacía de contenido, ya que no tiene otro significado que el de señalar la inclusión de la proposición en la oración. Por el contrario, otros subordinantes manifiestan significados de tipo general, como: 'causa' –*porque*–, 'tiempo' –*mientras*–, 'concesión' –*aunque*–, etc. En cuanto a las conjunciones subordinantes relativas, *que*, con y sin artículo, y *el cual* tampoco tienen significado propio, pero se cargan del que les transmite el antecedente al que reemplazan. Otros relativos aportan algunos rasgos semánticos de sentido más o menos generales, como 'lugar' –*donde*–, 'cantidad' –*cuanto*–, 'persona' –*quien*–, etc.

4. Aspectos didácticos

A diferencia de las palabras léxicas, que pueden ser más o menos extensas, las funcionales son, por lo general, breves: las más usuales son monosilábicas –*y, el, que*– y la mayoría no sobrepasa las dos sílabas –*pero, quien, aunque*–. La constatación anterior no es azarosa, sino que puede conectarse con su frecuencia de uso. Estas palabras que sólo poseen rasgos de significación muy generales no son, sin embargo, insignificantes, ya que tienen una importante función como elementos que permiten el funcionamiento oracional de otras palabras o establecen enlaces sintáctico-semánticos entre ellas.

Por lo tanto, en lugar de considerarlas clases menores, su funcionamiento las ubica como palabras fundamentales, ya que actúan como verdaderas "bisagras", sin las cuales prácticamente no es posible la buena formación de los sintagmas y las oraciones. Las siguientes palabras: *Chico vio abeja revoloteaba escuchó molesto zumbido* no son más que una lista; para configurar una oración necesariamente tienen que establecerse entre ellas enlaces y dependencias, más allá de los internos a la palabra, que se marcan morfológicamente: *El chico vio a una abeja que revoloteaba y también escuchó su molesto zumbido.* Como muestra el ejemplo, las unidades léxicas hacen referencia a objetos, eventos, propiedades, lo cual, desde el punto de vista léxico-semántico, es necesario para configurar el contenido conceptual que se quiere transmitir. Pero, sintácticamente, esas palabras sólo logran engarzarse plenamente a través de las palabras funcionales.

Como sostiene Bosque (1991: 29), las palabras que pertenecen a series cerradas "actúan en cierta forma como soporte o como engranaje de las que pertenecen a las series abiertas. Podría decirse que funcionan como los tornillos, las tuercas y los goznes respecto de las piezas de cualquier maquinaria. Los verbos, los adjetivos y los sustantivos se crean, se heredan, se prestan y se pierden con enorme frecuencia sin que el sistema se altere, pero si perdiéramos un solo artículo del español, el sistema sufriría un vuelco considerable".

En síntesis, para la buena formación de sintagmas, oraciones y textos se requiere la continua interrelación de palabras léxicas y funcionales. Si bien las funcionales no alcanzan el funcionamiento independiente de las léxicas, el alcance de interpretación de éstas depende, en gran medida, de la identificación que proporcionan las funcionales.

Actividades

1. ¿De qué clase de palabra se trata?

El siguiente texto contiene una serie de palabras inexistentes en español, léalo atentamente y responda a lo solicitado en las consignas de abajo.

> El simpático mulki se acercó ventando despacito y moviendo sus esbeltas sumpis. Cuando llegó mamá, el muy ásbico se había escondido debajo de la balta. Al oír su voz, poco a poco se fue asomando hasta que cabizbajo y grontamente salió de su refugio. ¡Qué plentidad! Finalmente, mamá le había lupiado el nuevo polto.

a) Identifique las palabras inventadas e indique a qué clase de palabras podrían pertenecer.
b) Justifique su respuesta a partir de la evidencia morfosintáctica.

Ejemplo: *mulki*: sustantivo. Va precedido de un determinante (*el*) y un adjetivo calificativo (*simpático*) con los que forma un SN.

2. Las subclases del sustantivo

Lea atentamente el siguiente texto y luego resuelva según lo pedido:

a) subraye todos los sustantivos que encuentre y clasifíquelos morfológicamente (según género y número), y
b) busque ejemplos de sustantivos propios y de sustantivos comunes contables, concretos, abstractos y colectivos.

> Por consejo de Luis terminaron aceptando hormigas negras solamente, y el formicario ya era enorme. Las hormigas parecían furiosas y trabajaban hasta la noche cavando y removiendo con mil órdenes y evoluciones, avisado frotar de patas y antenas, repentinos ataques de furor o vehemencia, concentraciones y desbandes sin causa visible. Isa-

bel no sabía ya qué apuntar, dejó un poco la libreta y se pasaban horas estudiando y olvidando los descubrimientos. (J. Cortázar, *Bestiario*)

3. Sustantivos y adjetivos

Amplíe, agregando a los sustantivos subrayados, adjetivos adecuados al sentido del texto:

> Nuestra empresa lanza al mercado un <u>producto</u> que encantará a nuestros <u>clientes</u>. Se trata de un <u>servicio</u> que brindará <u>seguridad</u> y permitirá obtener la <u>tranquilidad</u> que todos esperaban en sus <u>hogares</u>.

4. Las subclases del adjetivo

En las construcciones que se presentan a continuación realice las siguientes actividades: 1) clasifique los adjetivos; 2) cambie de posición los adjetivos de los grupos (a) y (b) y explique en qué casos la construcción cambia de significado; 3) comente por qué resultan mal formadas las construcciones del grupo (c) (recuerde que el asterisco significa "agramaticalidad").

(a) hombre *pobre*; casa *grande*
(b) hombre *simpático*; *bonita* casa
(c) *económica* crisis; *tambera* región

5. El verbo: aspectos morfológicos

En el siguiente texto subraye las formas verbales finitas y determine las categorías morfológicas que manifiesta cada una (*modo, tiempo, persona y número*).

> Quisiera contarles una pequeña historia de este libro. Mi libro anterior: *La palabra amenazada* (Libros del Zorzal), nacido de un artículo periodístico publicado por *La Nación*, alcanzó una repercusión imprevisible y generó una cadena de contactos muy diversos y muy ricos: me llamaron grupos de músicos, talleres literarios, asociaciones de psicoanalistas, asambleas barriales, universidades y colegios, todos para seguir comentando los temas planteados. Sentí entonces con mucha fuerza que el tema no me pertenecía subjetivamente, sino que estaba en el aire como el propósito firme de un grupo vital de procedencias sociales e ideológicas muy diversas... (I. Bordelois, *La Nación*, 9 de octubre de 2005. Sección 6: Cultura, p. 2)

6. Las subclases sintáctico-semánticas del verbo

En el siguiente texto subraye las formas verbales finitas e identifique la subclase sintáctico-semántica a la que pertenece cada una (transitivo, intransitivo, ditransitivo, inacusativo).

> En la noche de verano, mientras duerme la ciudad, el huracán se abate de pronto; el huracán que cierra con fragor ventanas y puertas. Es un viento que brama, que aúlla, que zumba, que silba, un viento áspero que viene cargado de polvo y nos deja tierra pegajosa en la boca,

en los ojos, en el pelo. Cae sobre la ciudad, repentino y formidable mientras da vueltas espantosas y ciegas. Elige la noche. [...] Sacude fieramente los árboles. Envuelve y vela los focos eléctricos. Nos trae violencia y oscuridad. Primero nos entrega un vaho caliente y luego, un soplo frío [...] Por momentos parece un gigante que empuja un murallón con su hombro inmenso; que lo empuja rabioso, con los dientes rechinantes y la respiración hecha jadeo... (A. Capdevila, en *Córdoba del recuerdo*, adaptación)

7. Funcionamiento sintáctico de los adverbios

En las siguientes oraciones, determine cómo funcionan los adverbios:

a) Posiblemente venga el viernes.
b) Acústicamente, la sala está mal construida.
c) Pedro resistió valientemente a los agresores que lo atacaron violentamente en la calle.
d) Afortunadamente, la lluvia no afectó la cosecha.
e) La lluvia no afectó la cosecha afortunadamente.
f) Partió para Cuba ayer imprevistamente.
g) Francamente, no entiendo tu interés en ese negocio.

8. Las conjunciones

Llene los espacios en blanco con una conjunción (coordinante o subordinante) de acuerdo con el contenido del texto.

Sin duda lo americano comprende lo indio, asimilado por la civilización colonial ___ por la ciencia contemporánea; lo español, asimilado por la familia ___ el idioma en las repúblicas independientes; lo criollo de las pampas ___ montañas, asimilado por la política ___ por el arte. En tal experiencia histórica se funda nuestra conciencia de americanidad; ___ ésta se integra por el conocimiento de las ajenas culturas, antiguas ___ modernas, orientales ___ occidentales, a ___ benéfico magisterio no renunciamos. ___ así como nuestra conciencia racial no reside completa en lo indio, en lo gauchesco ___ en lo español, separadamente, así nuestra sed de universalidad no se sacia en lo italiano, lo francés ___ lo inglés, exclusivamente. ___ las naciones actuales de Europa no son las únicas fuentes de cultura; ___ lógicamente ___ lo latino, ___ lo germánico, ___ lo eslavo, contienen por sí solos todo el espíritu de la civilización. (R. Rojas, "Americanismo y universalidad", en *La argentinidad*)

Soluciones

1.

– *mulki*: sustantivo. Va precedido de un determinante (*el*) y un adjetivo calificativo (*simpático*) con los que forma un SN.

– *ventando*: verbo, forma no finita, gerundio terminado en *-ando*. Funciona como un adverbio que modifica al verbo (*se acercó*) dentro del SV.

– *sumpis*: sustantivo. Recibe marca de plural *-s* como revela la concordancia con el adjetivo (*esbeltas*) y con el determinante posesivo (*sus*) con los que forma un SN.

– *ásbico*: adjetivo calificativo. Termina en *-o* de género masculino. Es modificado por el cuantificador *muy*.

– *balta*: sustantivo. Va precedido de un determinante (*la*) con el que forma un SN.

– *grontamente*: adverbio terminado en *-mente*. Modifica al verbo (*salió*) dentro del SV.

– *plentidad*: sustantivo abstracto terminado en *-dad*.

– *lupiado*: verbo, forma no finita, participio invariable. Forma con el auxiliar *haber* una perífrasis de pretérito pluscuamperfecto.

– *polto*: sustantivo. Va precedido de un determinante (*el*) y un adjetivo calificativo (*nuevo*) con los que forma un SN

2.

Por <u>consejo</u> de <u>Luis</u> terminaron aceptando <u>hormigas</u> negras solamente, y el <u>for-micario</u> ya era enorme. Las <u>hormigas</u> parecían furiosas y trabajaban hasta la <u>noche</u> cavando y removiendo con mil <u>órdenes</u> y <u>evoluciones</u>, avisado frotar de <u>patas</u> y <u>an-tenas</u>, repentinos <u>ataques</u> de <u>furor</u> o <u>vehemencia</u>, <u>concentraciones</u> y <u>desbandes</u> sin <u>causa</u> visible. <u>Isabel</u> no sabía ya qué apuntar, dejó un poco la <u>libreta</u> y se pasaban <u>ho-ras</u> estudiando y olvidando los <u>descubrimientos</u>.

Sustantivos masculinos: a) singular: *consejo, Luis, formicario, furor;* b) plural: *ataques, desbandes, descubrimientos*. Sustantivos femeninos: a) singular: *noche, vehemencia, causa, Isabel, libreta*; b) plural: *hormigas, órdenes, evoluciones, con-centraciones, patas, antenas, horas.*

Sustantivos: a) propios: *Luis, Isabel*; b) comunes: i) contables: *patas, órdenes, libreta, consejo, etc.*; ii) concretos: *patas, libreta, antenas, etc.*; iii) abstractos: *vehemencia, furor, desbande, etc.*; iv) colectivo: *formicario.*

3. Ejemplo de posible solución

Nuestra empresa lanza al mercado un producto **revolucionario** que encantará a nuestros **calificados** clientes. Se trata de un **nuevo** servicio que brindará **mayor** seguridad y permitirá obtener la **anhelada** tranquilidad que todos esperaban en sus **propios** hogares.

4.

1) Clasificación de adjetivos: a) calificativos: *pobre, grande, simpático, bonita*; b) relacionales: *económica, tambera.*

2) Cambio de posición. Grupo (a): *pobre* hombre; *gran* casa. Al cambiar la posición del adjetivo se produce un cambio de significado de la construcción. Por ejemplo, mientras que *hombre pobre* equivale a "hombre carente de recursos económicos", *pobre* hombre refiere al aspecto psicológico: "hombre *infeliz*". Grupo (b): el cambio de posición del adjetivo no altera el significado de la construcción.

3) Las construcciones de (c) son agramaticales porque el adjetivo relacional siempre va pospuesto al sustantivo: crisis *económica* / *económica crisis; región *tambera* / *tambera región.

5.

quisiera: Modo subjuntivo, tiempo presente, primera persona, número singular.

alcanzó: Modo indicativo, tiempo pasado simple, tercera persona, número singular.

llamaron: Modo indicativo; tiempo pasado simple, tercera persona, número plural.

sentí: Modo indicativo, tiempo pasado simple, primera persona, número singular.

pertenecía: Modo indicativo, tiempo pretérito imperfecto, tercera persona, número singular.

estaba: Modo indicativo, tiempo pretérito imperfecto, tercera persona, número singular.

6.

En la noche de verano, mientras duerme la ciudad, el huracán se abate de pronto; el huracán que cierra con fragor ventanas y puertas. Es un viento que brama, que aúlla, que zumba, que silba, un viento áspero que viene cargado de polvo y nos deja tierra pegajosa en la boca, en los ojos, en el pelo. Cae sobre la ciudad, repentino y formidable mientras da vueltas espantosas y ciegas. Elige la noche. [...] Sacude fieramente los árboles . Envuelve y vela los focos eléctricos. Nos trae violencia y oscuridad. Primero nos entrega un vaho caliente y luego, un soplo frío [...] Por momentos parece un gigante que empuja un murallón con su hombro inmenso; que lo empuja rabioso, con los dientes rechinantes y la respiración hecha jadeo...

Clasificación: i) transitivos: *cierra, da, elige, sacude, envuelve, vela, empuja*; ii) ditransitivos: *deja, entrega*; iii) intransitivos puros: *duerme, zumba, silba,*; iv) inacusativos: *viene, cae.*

7.

a) *posiblemente*: adverbio periférico, modificador de modalidad, índice de la actitud del hablante.

b) *acústicamente*: adverbio periférico, modificador del *dictum*, nocional o de "punto de vista".

c) *valientemente*: adverbio modificador del verbo (*resistió*) dentro del SV; *violentamente*: adverbio modificador del verbo (*atacaron*) dentro del SV.

d) *afortunadamente*: adverbio periférico, modificador del *dictum*, evaluativo.

e) *afortunadamente*: adverbio modificador del verbo dentro del SV.

f) *ayer e imprevistamente*: adverbio modificador del verbo (*partió*) dentro del SV.

g) *francamente*: adverbio periférico, modificador de modalidad, enunciativo.

8.

Sin duda lo americano comprende lo indio, asimilado por la civilización colonial **y** por la ciencia contemporánea; lo español, asimilado por la familia **y** el idioma en las repúblicas independientes; lo criollo de las pampas **y** montañas, asimilado por la política **y** por el arte. En tal experiencia histórica se funda nuestra conciencia de americanidad; **pero** ésta se integra por el conocimiento de las ajenas culturas, antiguas **o** modernas, orientales **u** occidentales, a **cuyo** benéfico magisterio no renunciamos. **Sin embargo**, así como nuestra conciencia racial no reside completa en lo indio, en lo gauchesco **o** en lo español, separadamente, así nuestra sed de universalidad no se sacia en lo italiano, lo francés **o** lo inglés, exclusivamente. **Porque** las naciones actuales de Europa no son las únicas fuentes de cultura; **y** lógicamente **ni** lo latino, **ni** lo germánico, **ni** lo eslavo, contienen por sí solos todo el espíritu de la civilización...

Bibliografía

Aitchison, J. (1994), *Words in the mind. An introduction to the mental lexicon.* Blackwell, Oxford.

Alarcos Llorach, E. (1980), *Estudios de gramática funcional del español,* Madrid, Gredos.

Albano H. y M. Giammatteo (2001), "Una clase de palabras funcionales: los determinativos", en E. Arnoux y Á. Di Tullio (eds.), *Homenaje a Ofelia Kovacci,* Buenos Aires, Eudeba, p. 9-52.

Alcina Franch J. y J. M. Blecua (1975), *Gramática española,* Barcelona, Ariel.

Baker, M. (2003), *Lexical categories. Verbs, nouns, and adjectives,* Cambridge University Press.

Barrenechea, A.M. (1962), "El pronombre y su inclusión en un sistema de categorías semánticas", en A.M. Barrenechea y M. Manacorda de Rosetti (1971), *Estudios de gramática estructural,* Buenos Aires, Paidós.

– (1963), "Las clases de palabras en español, como clases funcionales", en A.M. Barrenechea y M. Manacorda de Rosetti (1971), *Estudios de gramática estructural,* Buenos Aires, Paidós.

Bosque, I. (1991), *Las categorías morfológicas,* Madrid, Síntesis.

– (1999), "El nombre común", cap. 1, en I. Bosque y V. Demonte (dirs.), ob. cit.

– y V. Demonte (dirs.) (1998), *Gramática descriptiva del español,* Madrid, Espasa.

Chomsky, N. (1965), *Aspects of the theory of syntax,* Cambridge, The MIT Press. [Trad. española (1977), *Aspectos de la teoría de la sintaxis,* Madrid, Aguilar, por la que se cita.]

– (1970), "Remarks on nominalizations", en A. Jacobs y P. Rosenbaum (eds.), *Readings in English Transformational Grammar,* Massachusetts, Walthan, Ginn & Co.

Coseriu, E. (1962), "Determinación y entorno", en *Teoría del lenguaje y lingüística general,* Madrid, Gredos.

Demonte, V. (1991), *Detrás de las palabras,* Madrid, Alianza.

– (1999), "El adjetivo: clases y usos. La posición del adjetivo en el sintagma nominal", cap. 3, en I. Bosque y V. Demonte (dirs.), ob. cit.

Di Tullio, Á. (2005), *Manual de gramática española*, Buenos Aires, La Isla de la Luna.

Fernández Lagunilla, M. y A. Anula Rebollo (1995), *Sintaxis y cognición*, Madrid, Síntesis.

García Fernández, L. (2000), *La gramática de los complementos temporales*, Madrid, Visor.

Giammatteo, M. (2004), "El campo semántico-temporal del español. Estudio de verbos y expresiones temporales", tesis doctoral inédita.

Givón, T. (1979), *On understanding grammar*, Nueva York, Academic Press.

Halliday, M.A.K. y R. Hasan (1977), *Cohesion in English*, Londres, Clowes & Sons Ltd.

Hernanz, M.L. (1999), "El infinitivo", cap. 36, en I. Bosque y V. Demonte (dirs.), ob. cit.

– y J. Brucart (1987), *La sintaxis*, Barcelona, Crítica.

Kleiber, G. (1995), *La semántica de los prototipos*, Madrid, Visor.

Kovacci, O. (1980-1981), "Sobre los adverbios oracionales", en *Homenaje a Ambrosio Rabanales, BFUCh*, XXXI, reproducido en Kovacci (1986).

– (1986), *Estudios de gramática española*, Buenos Aires, Hachette.

– (1992), *El comentario gramatical II*, Madrid, Arco Libros.

– (1999), "El adverbio", cap.11, en I. Bosque y V. Demonte (dirs.), ob. cit.

Langacker, R. (1987), *Foundations of cognitive grammar*, Standford University Press.

Lewandowski, T. (1995), *Diccionario de lingüística*, Madrid, Cátedra.

Lyons, J. (1971), *Introduction to theoretical linguistics*, Cambridge University Press.

– (1997), *Semántica lingüística. Una introducción*, Barcelona, Paidós.

Martínez, J.A (1999), "Los transpositores desinenciales (infinitivo, gerundio y participio)", en *Homenaje a Ofelia Kovacci*, Buenos Aires, Eudeba.

Mendikoetxea, A. (1999), "Construcciones inacusativas", cap. 25, en I. Bosque y V. Demonte (dirs.), ob. cit.

Nebrija, A. de (1926) [1492], *Gramática de la lengua castellana*, ed. con introducción y notas por I. González Llubera, Oxford University Press.

Porto Dapena, J. (1989), *Tiempos y formas no personales del verbo*, Madrid, Arco Libros.

Radford, A. (1997), *Syntactic Theory and the structure of English*, Cambridge University Press.

Rodríguez Ramalle, T. (2005), *Manual de sintaxis del español*, Madrid, Castalia.

Robins, R. (1974), *Breve historia de la lingüística*, Madrid, Paraninfo.

Taylor, J. (1995), *Linguistic categorization*, Oxford, Clarendon Press.

Vendler, Z. (1967), *Linguistics in philosophy*, Ithaca, Cornell University Press.

Wierzbieka, A. (1986), "What's in a noun (or how do nouns differ in meaning from adjectives"), *Studies in Language*, 10, pp. 353-389.